随筆

ふるさとの光

―すばらしき地球家族へ―

池田大作

鳳書院

池田名誉会長夫妻

はじめに

「地《ち》を離《はな》れて人なく、人を離れて事《こと》なし」*1

明治維新《めいじいしん》の多くの俊英《しゅんえい》を育て、新しい日本の夜明けを告《つ》げた教育者・吉田《よしだ》松陰《しょういん》の言葉である。

大事を為《な》すには、現実の社会から、生きた知識《ちしき》を学ぶことが欠《か》かせない。松陰はこの信念《しんねん》から、弟子《でし》たちに広く各地を見聞《けんぶん》するよう勧《すす》めた。

その成果《せいか》は、松下村塾《しょうかそんじゅく》に備《そな》え付《つ》けられた「飛耳長目《ひじちょうもく》」と呼《よ》ばれる帳面《ちょうめん》に、一つ一つ記《しる》された。青年たちはこれを読み合い、新時代を開く原動力《げんどうりょく》としていったのである。

グローバル化《か》が進む、変化《へんか》の連続《れんぞく》の現代にあっても、それぞれの地域《ちいき》には、歴史《れきし》・風土《ふうど》が育《はぐく》んできた独自《どくじ》の文化があり、世代を超《こ》えて受け継《つ》がれてきた精神の伝統《でんとう》がある。そして何より、郷土《きょうど》とともに生き抜《ぬ》いた、人生の春秋《しゅんじゅう》がある。

その豊《ゆた》かな水脈《すいみゃく》を、地域の枠《わく》を超《こ》えて共有《きょうゆう》しながら、地球家族《ちきゅうかぞく》という観点《かんてん》から融合《ゆうごう》していくことが、これからの日本の未来《みらい》を考える上で大切《たいせつ》になるのではないか――。

本書《ほんしょ》は、そうした思いを込《こ》めて綴《つづ》った新聞各紙《かくし》への寄稿《きこう》を、加筆《かひつ》し編集《へんしゅう》したものである。

二十一世紀《せいき》に入った日本は、政治や経済《けいざい》をはじめ、さまざまな課題《かだい》が山積《さんせき》している。いわゆる特効薬《とっこうやく》はなく、従来《じゅうらい》の発想《はっそう》で対処《たいしょ》できる問題《もんだい》でもない。

そうした中、日本を代表《だいひょう》する各新聞社から、その打開《だかい》の糸口《いとぐち》を見出《みいだ》していく重要《じゅうよう》なテーマについて、改《あらた》めて思索《しさく》する機会《きかい》を与《あた》えていただいた。

子ども、青年、女性、家庭《かてい》、教育、平和、環境《かんきょう》……。いずれも、今、焦点《しょうてん》の課題《かだい》である。

各紙《かくし》は、郷土《きょうど》の名前を冠《かん》しておられる。静岡県、埼玉県、千葉県、沖縄県、栃木県へは、私も、これまで幾《いく》たびとなく足を運《はこ》んできた。その美しい山河《さんが》や、活力《かつりょく》ある街並《まちなみ》を瞼《まぶた》に浮《う》かべ、苦楽《くらく》を共にしてきた多くの懐《なつ》かしき友の顔《かんばせ》を胸に抱《いだ》きながら、微力《びりょく》を尽《つ》くし執筆《しっぴつ》させていただいた。

一人《ひとり》の人間の幸福を出発点《しゅっぱってん》に据《す》える時代《じだい》は、まさに「地域《ちいき》の時代」であるといってよい。

なぜなら地域には、人間の生きる力《ちから》の源泉《げんせん》がある。そして、混迷《こんめい》の社会において希望《きぼう》の灯台《とうだい》となる「ふるさとの光」があるからだ。

「古里、故里、故郷、故園、故丘、故山、郷里、郷邑、郷関、郷井、郷陌、郷閭——ふるさとという文字《もじ》はたくさんありますが、私はどれも好《す》きです」*2

かつて、作家《さっか》の井上靖《やすし》先生から、頂《いただ》いた書簡《しょかん》の中に綴《つづ》られていた一節《いっせつ》である。

伊豆《いず》と沼津《ぬまづ》で少年時代《じだい》を過《す》ごした先生は、毎日《まいにち》、目にした富士山《ふじさん》に、年《とし》を重《かさ》ねた後でも〝特別な親近感《しんきんかん》〟を覚《おぼ》えると述《の》べておられた。

人間には、こうした故郷《ふるさと》との心の結《むす》びつきが多《おお》かれ少《すく》なかれある。

私の大切《たいせつ》な友人であるゴルバチョフ元《もと》ソ連大統領《だいとうりょう》も、故郷への強《つよ》い誇《ほこ》りを晴《は》れ晴《ば》れと語《かた》っておられたことが忘《わす》れられない。

「わが故郷の住民《じゅうみん》は、とても気《き》さくで、歩《あゆ》み寄《よ》りの精神《せいしん》があります。というのも、北《きた》カフカスでは、何世紀《なんせいき》もの間、人との調和《ちょうわ》、民族間《みんぞくかん》の友好関係《ゆうこうかんけい》が、生《い》き抜《ぬ》くための最大《さいだい》の条件《じょうけん》であったからです*3」

この言葉そのものの気さくなゴルビー・スマイルを浮《う》かべながら、氏《し》は歩み寄りの精神を発揮《はっき》し、世界を分断《ぶんだん》してきた壁《かべ》を取《と》り払《はら》って、冷戦《れいせん》の終結《しゅうけつ》へ多大《ただい》な貢献《こうけん》をされたのである。

今から百年ほど前、人間と風土《ふうど》との不即不離《ふそくふり》の関係《かんけい》について研究《けんきゅう》したのが、私の先師《せんし》であり、創価教育の創始者《そうししゃ》である牧口常三郎先生であった。

牧口先生は、風土《ふうど》が人々の気質《きしつ》や生活にもたらす影響《えいきょう》を分析《ぶんせき》し、「慈愛《じあい》、好意《こうい》、友誼《ゆうぎ》、親切《しんせつ》、真摯《しんし》、質朴《しつぼく》等の高尚《こうしょう》なる心情《しんじょう》の涵養《かんよう》は、郷里《きょうり》を外《ほか》にして容易《ようい》に得《う》べかざることや」[*4]と強調《きょうちょう》していた。さらにまた、郷土《きょうど》に根差《ねざ》しつつ、世界の多彩《たさい》な文化を学んでいくことによって、開《ひら》かれた知性《ちせい》を持つ地球家族《ちきゅうかぞく》の資質《ししつ》が育《はぐく》まれるとも洞察《どうさつ》していたのである。

実際《じっさい》、寄稿《きこう》を通《とお》して紹介《しょうかい》させていただいたように、それぞれの地域《ちいき》を代表《だいひょう》する偉人《いじん》には、皆《みな》、深《ふか》い郷土愛《あい》が脈打《みゃくう》っていた。その郷土愛が、偉人たちの不屈《ふくつ》の信念《しんねん》を支《ささ》え、人類《じんるい》社会へ貢献《こうけん》しゆく背骨《せぼね》となっていたのである。

地域には、時代《じだい》を動かしゆく基軸《きじく》があり、未来《みらい》への変革《へんかく》の萌芽《ほうが》がある。草の根《ね》の教育、環境《かんきょう》の運動《うんどう》、国際交流《こくさいこうりゅう》の促進《そくしん》、さらに女性の智慧《ちえ》を生かした新たな産業《さんぎょう》の振興《しんこう》など、〝地域発《ちいきはつ》〟の意欲的《いよくてき》な取り組みに、新しい文明《ぶんめい》の鼓動《こどう》を感じるのは、私一人《ひとり》ではあるまい。

「平和研究《けんきゅう》の母」として名高《なだか》いエリース・ボールディング博士《はかせ》は、私との対談《たいだん》で、地域の絆《きずな》と連帯《れんたい》こそ「社会のすべてのレベルでの精神的価値《せいしんてきかち》を深化《しんか》させ、強化《きょうか》する」*5と力説《りきせつ》されていた。

「ふるさとの光」には、人間と社会の進《すす》むべき道《みち》を毅然《きぜん》と指《さ》し示《しめ》す、不滅《ふめつ》の北極星《ほっきょくせい》の輝《かがや》きがある。

本書《ほんしょ》が、各地《かくち》に脈打《みゃくう》つ豊《ゆた》かな精神文化《ぶんか》や、地域が持つ無限《むげん》の可能性《かのうせい》を見つめ直《なお》す契機《けいき》となり、二十一世紀《せいき》の日本の未来《みらい》、そして地域主導《しゅどう》の国際貢献《こくさいこうけん》の在《あ》り方《かた》を考える上での一つの糧《かて》となれば、望外《ぼうがい》の喜《よろこ》びである。

結びに、こうした貴重《きちょう》な機会《きかい》を与《あた》えてくださった静岡新聞社《しずおかしんぶんしゃ》、埼玉《さいたま》新聞社、千《ち》葉《ば》日報《にっぽう》社、沖縄《おきなわ》タイムス社、下野《しもつけ》新聞社、毎日《まいにち》新聞社の関係者《かんけいしゃ》の方々に、厚《あつ》く御礼《おんれい》を申し上げたい。
とともに、「活字《かつじ》文化」の担《にな》い手《て》として、日々果《は》たされている尊《とうと》き使命《しめい》に対し、各新聞社《かくしんぶんしゃ》の皆様方《みなさまがた》に、心からの敬意《けいい》を表《ひょう》するものである。

二〇〇八年五月三日

池田 大作

＊1 山口県教育会編『吉田松陰全集1』（岩波書店）所収「幽囚録」
＊2『池田大作全集17』所収「四季の雁書」（聖教新聞社）
＊3『池田大作全集105』所収「二十世紀の精神の教訓」（聖教新聞社）
＊4『牧口常三郎全集1 人生地理学（上）』（第三文明社）
＊5『「平和の文化」の輝く世紀へ！』（潮出版社）を参照

目次

II 家庭・地域

静岡　2002.2

III　教育・文化・芸術

宮崎　1999.3

Ⅳ　平和

Ⅴ　青年

カバー及び本文中写真　著　者
識者との会見等の写真　聖教新聞社
装幀及び本文デザイン　藤原　光寿

I

女性・子ども

陽光のように注ぐ愛情

「母は一家の太陽《たいよう》」

十九世紀《せいき》ペルーの女性作家《さっか》マト・デ・トゥルネルの不滅《ふめつ》の言葉である。

母親《ははおや》が太陽のように輝《かがや》いている家庭《かてい》は、明るく温《あたた》かい。そして、この「平和な家庭」こそが「平和な世界」への出発点《しゅっぱつてん》である。

「子どもたちの健全《けんぜん》な成長にとって、最《もっと》も重要《じゅうよう》なことは何か」

このテーマを、世界的な教育者であるアメリカのハーディング博士《はかせ》と論《ろん》じ合った時、深《ふか》く一致《いっち》をみたことがある。

それは「子どもたちが〝自分は大切《たいせつ》にされている〟と思えること」であった。子どもたちは、その経験《けいけん》を滋養《じよう》として、人を大切にしていけるようになるものだ。

暴力的《ぼうりょくてき》な行動《こうどう》に出る子どもの多くは、〝誰《だれ》も自分に関心を示してくれない〟という意識《いしき》を持っているといわれる。

子どもの生命は、鏡《かがみ》の如《ごと》く鋭敏《えいびん》に大人《おとな》の生命を映《うつ》す。だからこそ、どの子もかけがえのない存在として、愛情《あいじょう》を陽光《ようこう》のように注《そそ》がれねばならない。

ともに対談集《たいだんしゅう》（『平和の文化」の輝《かがや》く世紀《せいき》へ！』）を発刊《はっかん》した、〝平和研究《けんきゅう》の母〟エリース・ボールディング博士《はかせ》との語《かた》らいでも、この家庭《かてい》教育が焦点《しょうてん》となった。

博士は、五人の子どもを育てる主婦《しゅふ》として平和研究を開始《かいし》された。そして、地域《ちいき》社会のボランティア活動などを積《つ》み重《かさ》ねながら、世界に平和のネットワークを広げておられる。

彼女は、深刻化《しんこくか》する青少年の問題《もんだい》を解決《かいけつ》するために「もっともっと家庭内《かていない》の交流《こうりゅう》を！」と強調《きょうちょう》されていた。そして、とくに大事な点として「子どもの声に耳を傾《かたむ》ける」ことをあげておられた。

ご自身も、幼《おさな》い子らの声に耳を傾けることによって、多くのことを学んできたという。子どもは、大人《おとな》には見えないものを見て、大人が思いもつかないことを考え出すからである。博士《はかせ》は、実際《じっさい》に子どもたちから学んだ事柄《ことがら》をまとめて、本も執筆《しっぴつ》されている。

「子どもの声」を聞く

「聞き上手《じょうず》」は、人間関係を円滑《えんかつ》にする。そのコツとして、よく言われるのが、「相《あい》づち」である。まず「うんうんと、うなずく」こと。そして「最後《さいご》まで話をさえぎらない」こと。

子どもの言葉を「復唱《ふくしょう》」することも、会話《かいわ》を促《うなが》す秘《ひ》けつといわれる。「お腹《なか》が痛《いた》い」と言えば、「そう、痛いの」といって、お腹をさすってあげる。大事なのは、相手の気持ちを受け入れることである。

「私の気持ちをわかってくれている」——その信頼感《しんらいかん》こそが、心を開かせるからだ。

「良《よ》い会話は、家庭《かてい》生活の一部としてばかりでなく、教育の一部としても重要《じゅうよう》である」*1とは、世界人権宣言《じんけんせんげん》の起草《きそう》に尽力《じんりょく》した女性エレノア・ルーズベルトの洞察《どうさつ》であった。

たしかに、子どもが伸《の》びやかに周《まわ》りの人々と交流《こうりゅう》を結んでいく力は、家庭での「良き会話」によって育《はぐく》まれる。

最近《さいきん》は、家族で一緒《いっしょ》に行動《こうどう》する経験《けいけん》が乏《とぼ》しい子どもが増《ふ》えているという。たまに皆で食事《しょくじ》をしても、テレビを見ながらで会話もない。そうした家庭環境《かんきょう》を危《あや》ぶむ声は多い。だからこそ、子どもには良《よ》き言葉をかけていきたい。とくに今は「褒《ほ》めて伸《の》ばす」時代であろう。

「育児」は「育自」に

静岡で少女時代を過《す》ごした作家《さっか》の有吉佐和子《ありよしさわこ》さんとは、何回となく対話《たいわ》を重《かさ》ねたが、彼女も、わが子を「愚息《ぐそく》」「愚女《ぐじょ》」と卑下《ひげ》したり、「お前は馬鹿《ばか》だから」などと叱《しか》ることに反対《はんたい》されていた。お嬢《じょう》さんにも繰《く》り返《かえ》し「あなたは頭《あたま》がいい」と言い続《つづ》けて、自信《じしん》を持たせていかれたようだ。

私にも、忘《わす》れ得《え》ぬ母の一言《ひとこと》がある。幼《おさな》き日、病弱《びょうじゃく》だった私を励《はげ》ましてくれた言葉である。

「あの庭《にわ》のざくろをごらん。潮風《しおかぜ》と砂地《すなじ》には弱《よわ》いというのに、花を咲《さ》かせ、毎年、実《み》をつける。おまえも、今は弱くとも、きっと丈夫《じょうぶ》になるんだよ!」

ともあれ、母の智慧《ちえ》には行《い》き詰《づ》まりがない。ほ乳類《にゅうるい》の脳《のう》が進化《しんか》した主要《しゅよう》な力《ちから》は、子どもを慈《いつく》しみ育てる母性《ぼせい》の行動《こうどう》にあったという学説《がくせつ》もある。母たちの脳が「子育て」を通《とお》して、より賢《かしこ》く発達《はったつ》していくことも、科学的《かがくてき》に解明《かいめい》が進んでいるようだ。「育児《いくじ》」は、「育自《いくじ》」（自分づくり）でもある。

「私は、青年と子供を見ると、気力《きりょく》と活力《かつりょく》が湧《わ》きます」*2「若《わか》い世代のエネルギーのなかにこそ、良《よ》い変化をもたらす原動力《げんどうりょく》があると、私は信じています」*3

アメリカの〝人権《じんけん》の母〟ローザ・パークスさんの言葉である。

子どもたちに「何かを教える」のではない。子どもたちと向《む》き合い、「共に学んでいく」。そこから、新しい創造《そうぞう》と前進のエネルギーをもらうのは、むしろ大人《おとな》ではないだろうか。

静岡新聞　2006年4月8日

＊1『生きる姿勢について』（佐藤佐智子・伊藤ゆり子訳、大和書房）
＊2『勇気と希望　ローザ・パークスのことば』（高橋朋子訳、サイマル出版会）
＊3『ローザ・パークスの青春対話』（高橋朋子訳、潮出版社）

二十一世紀は女性の世紀

「人生で、一番、楽しいことは?」

「苦難《くなん》を乗り越えていくことです!」

あの奇跡《きせき》の女性ヘレン・ケラーの一問一答である。*1


「どんな悩みがあっても、それを克服《こくふく》する力《ちから》は人間自身の心の中にある。

そして逆境《ぎゃっきょう》や試練《しれん》に打ち勝ってこそ、生命は強くなり、光り輝《かがや》いていくものだ」——これが、世界中の人々を励ました、彼女の「生きる歓び」であり「生き抜く信念」であった。

　このヘレン・ケラーの「希望の哲学《てつがく》」のひとつの光源《こうげん》が、じつは「彩《さい》の国《くに》」埼玉の天地《てんち》にあったことは、意外《いがい》と知られていないかもしれない。

　すなわち、目と耳と口の三重《さんじゅう》の障害《しょうがい》に直面《ちょくめん》した、アメリカの少女ヘレンが、母から繰《く》り返《かえ》し教えられて、心の支《ささ》えと仰《あお》いだ偉人《いじん》こそ、埼玉が生んだ江戸《えど》時代の盲目《もうもく》の大学者《だいがくしゃ》・塙保己一《はなわほきいち》であった。

　その人を常に手本《てほん》とし目標《もくひょう》としてきたヘレン・ケラーは、格別《かくべつ》の思いを抱《いだ》いて、心の師の故郷《ふるさと》・埼玉を、二度にわたり訪問《ほうもん》している。

　思えば、明治時代、日本で、最初《さいしょ》の女性医学者《いがくしゃ》が誕生《たんじょう》したのは、埼玉であった。

　「緑茶《りょくちゃ》の研究《けんきゅう》」によって、日本で初《はじ》めて女性で農学博士《のうがくはかせ》号《ごう》を取得《しゅとく》したのも、埼玉出身《しゅっしん》の方である。

今、はつらつたる女性の活躍《かつやく》が、一段《いちだん》と光彩《こうさい》を放《はな》つ時代に入った。多くの男性は、時代の変化には気づいていても、これまでの古《ふる》い発想《はっそう》や、しがらみに縛《しば》られて、自分自身からは、なかなか変えられない。

戦前《せんぜん》、信念を貫《つらぬ》いて弾圧《だんあつ》された著名《ちょめい》な学者《がくしゃ》の夫人が、終戦直後《しゅうせんちょくご》、怒《いか》りをもって語《かた》ったことが、心に強く打ち込《こ》まれた思いがした。

「日本が、ここまでひどくなったのは、男という男が、みな卑怯《ひきょう》だったからではありませんか」と。

男性には耳の痛《いた》い、真実《しんじつ》を鋭《するど》く突《つ》いた指摘《してき》といえよう。

きれいな空気を子どもたちに

新たなる「平和の世紀」「人権《じんけん》の世紀」の創造《そうぞう》は、女性の勇気《ゆうき》、女性の英《えい》知《ち》なくしては、ありえない。

私は、一人《ひとり》の素晴《すば》らしい女性と、「太陽の世紀へ」とのテーマで対談《たいだん》を進めてきた（対談集『地球対談《ちきゅうたいだん》　輝《かがや》く女性の世紀へ』として発刊《はっかん》）。

アメリカの未来学者《みらいがくしゃ》へイゼル・ヘンダーソン博士《はかせ》である。多くの国際《こくさい》会議にも招《まね》かれ、その論説《ろんせつ》は、世界の四百の新聞に掲載《けいさい》されているという。

しかし、ご本人は「私は、もともと、どこにでもいる平凡《へいぼん》な主婦《しゅふ》なんです」と微笑《ほほえ》んでおられる。大学には進学《しんがく》せず、十六歳《さい》から婦人服店の店員《てんいん》として働《はたら》いた方である。

彼女の偉《えら》さは、今いるその場所《ばしょ》を〝人生の大学〟と決めて、懸命《けんめい》に学《まな》び、知恵《ちえ》を出しながら行動《こうどう》していったことである。

一九六〇年代前半《ぜんはん》のある日、ニューヨークの公園《こうえん》で遊《あそ》んでいた幼《おさな》い娘さんの肌《はだ》に、黒い汚《よご》れが付《つ》いていた。こすっても落《お》ちない。

それは、空気中《くうきちゅう》に漂《ただよ》う煤《すす》であった。

彼女は思いきって、公園で会うお母さんたちに、「空気が悪すぎると思わない？」と声をかけた。

すぐに共感《きょうかん》が広がり、皆で相談《そうだん》して、市長《しちょう》へ手紙《てがみ》を出すことにした。

しかし、返ってきたのは、「大気汚染《たいきおせん》などではなく、海からの霧《きり》が原因《げんいん》でしょう」との答えであった。

まだ公害《こうがい》が、大きな社会問題《もんだい》になる前である。

目の前で、危険《きけん》な事態《じたい》が進行《しんこう》しているのに、一番心配し、責任《せきにん》をもつべき人たちが、往々《おうおう》にして、一番鈍感《どんかん》だったり、事実をごまかそうとしたりする。日本でも、政治家や責任者の無責任、無作為《むさくい》のせいで、どれほど多くの悲《ひ》劇《げき》が重《かさ》ねられてきたことか。

生活実感《じっかん》に裏打《うらう》ちされた、賢明《けんめい》な女性の強さというものは、常にそうした不正《ふせい》を鋭敏《えいびん》に見抜《みぬ》き、さらに正義《せいぎ》の声を勇敢《ゆうかん》に上げていく。

「正義によって立て！　汝《なんじ》の力　二倍せん」*2である。ヘンダーソンさんたちも、立ち上がった。

「そうだ！ 天気予報《てんきよほう》のときに大気汚染指数《たいきおせんしすう》も入れてもらおう」。これが第一の挑戦《ちょうせん》であった。

手分《てわ》けして、市内《しない》のすべてのテレビ局、ラジオ局に手紙《てがみ》を書いた。すると五週間後、ひとつのテレビ局から「やりましょう」と連絡《れんらく》があった。それが突破口《とっぱこう》となって、全米《ぜんべい》の他局《たきょく》にも広がっていった。

しかし、まだまだ壁《かべ》は厚《あつ》かった。

「きれいな空気《くうき》を子どもたちに吸《す》わせたい」

それは、人間として当たり前の悲願《ひがん》である。

ところが、政治家や官僚《かんりょう》、学者《がくしゃ》などの専門家《せんもんか》からは、冷笑《れいしょう》や反対《はんたい》ばかりであった。

公害企業《こうがいきぎょう》を批判《ひはん》した反発《はんぱつ》は激《はげ》しく、ヘンダーソンさんには、「アメリカで一番、危険《きけん》な女だ」とか「おまえは共産主義者《きょうさんしゅぎしゃ》だ、ソ連に帰れ」とか、ひどい悪口《わるくち》や非難《ひなん》が投げつけられた。

彼女は発奮《はっぷん》した。反論《はんろん》するため、独学《どくがく》で猛勉強《もうべんきょう》を続け、ついには世界的な学者《がくしゃ》をも論破《ろんぱ》するまでになっていったのである。

「私は、抑《おさ》えつけられると、反対《はんたい》に負《ま》けるもんかと力《ちから》を出していく人間なのです。時間があれば、勉強《べんきょう》しました。小さなアパートだったから、掃除《そうじ》もすぐ終わりましたし」

そう笑《わら》う彼女であるが、このたくましい楽観主義《らっかんしゅぎ》も女性の特質《とくしつ》のひとつであろうか。やがて、大気汚染《たいきおせん》に対する世論《せろん》の関心が高まり、ゴミの処理《しょり》や工場《こうじょう》の煤煙《ばいえん》も規制《きせい》され始めた。汚染を許《ゆる》さないことが新しい常識《じょうしき》になった。

「皆が勝者」の社会に

子どもの健康《けんこう》と幸福な未来《みらい》を願う母の心が、古《ふる》い常識との戦い、そして厚《あつ》い壁《かべ》との戦いに、遂《つい》に勝ったのである。

ヘンダーソン博士《はかせ》は現在も、一歩も退《ひ》かずに、二十一世紀の焦点《しょうてん》である「環境《かんきょう》」「健康」「教育」のために、奔走《ほんそう》しておられる。

博士による「愛情《あいじょう》の経済《けいざい》」の提唱《ていしょう》も、有名である。

つまり、「家事《かじ》や子育て、地域への奉仕《ほうし》活動は、GNP（国民総生産《そうせいさん》）の計算《けいさん》に入らない。

しかし、実際《じっさい》は、生産活動の半分《はんぶん》は、こうした無償《むしょう》の行為《こうい》に支《ささ》えられている。この〝愛情の経済〟を認識《にんしき》すべきだ」というのである。

それは、これまでの経済学で見向《みむ》きもされなかった、思いやりや分《わ》かち合いの心、自然や生命を大切《たいせつ》にする心にも、光をあてていく理論《りろん》である。

さらに博士は、「一部の人間が勝者《しょうしゃ》となり、他の人が敗者《はいしゃ》となって苦《くる》しむ弱肉強食《じゃくにくきょうしょく》の競争《きょうそう》社会から、皆が勝者となる共存《きょうぞん》の社会へ変えるべきだ」とも、訴《うった》えておられる。

私が強く賛同《さんどう》するのは、たとえば「膨大《ぼうだい》な世界の軍事費《ぐんじひ》を削減《さくげん》し、人類《じんるい》の福祉《ふくし》に使うべきだ」という、物事《ものごと》の本質《ほんしつ》をまっすぐに見据《みす》えた主張《しゅちょう》である。

「女性の世紀」とは、単に、女性が男性と平等《びょうどう》の権利《けんり》を勝ち取るというだけではないはずだ。

女性があらゆる分野《ぶんや》で存分《ぞんぶん》に活躍《かつやく》することによって、これまでにない、みずみずしい人間性の心の声が最優先《さいゆうせん》され、いわゆる「生命《いのち》の声」が力《ちから》を発揮《はっき》し、社会を現実に変えていく時代であると、私は思っている。

現在、わが国も、誰もが「深刻《しんこく》な行《い》き詰《づ》まり」を実感《じっかん》し、苦《くる》しんでいる。その大きな原因《げんいん》の一つは、政治家たちが女性の真剣《しんけん》な意見《いけん》を本気《ほんき》で聞いてこなかったからだと言われる。

確《たし》かにその通《とお》りだと思う。聞くふりをしながら、実《じつ》は聞いていなかったのではないか。

とくに「母の声」を、最大《さいだい》に大切《たいせつ》にしてこそ、はじめて社会の上に確実《かくじつ》に「和楽《わらく》」と「平和」の時代が、花と咲《さ》いてゆくのではないだろうか。

ヘンダーソン博士と会見（2000.10　東京）

ヘンダーソンさんは、常にボランティアに駆《か》け回《まわ》っている尊《とうと》い母たちを、最大《さいだい》に誇《ほこ》りとしている。そして、このような詩《し》を捧《ささ》げている。

「言葉よりも振《ふ》る舞《ま》いで、争《あらそ》いごとの仲裁《ちゆうさい》をし、倫理《りんり》を教えてくれる母。……本当の勇気《ゆうき》とは、日々、人のために働《はたら》くこと。本当の勇気とは、見返《みかえ》りも賞讃《しょうさん》も求めずに、未来《みらい》を信じ続けること」。

活字文化こそ「平和の文化」の母

ヘンダーソンさんにとって、母の思い出といえば、生まれ故郷《こきょう》のイギリスの小さな村《むら》で、近所《きんじょ》のお年寄《としよ》りに食事《しょくじ》を運《はこ》んだり、赤ちゃんの世話《せわ》をしたり、買い物に行っても周《まわ》りの人に励《はげ》ましの声をかけたり、いつも献身的《けんしんてき》に尽《つ》くしていた姿《すがた》である。人々への敬意《けいい》と尊敬《そんけい》の心をたやさない母であったので、皆から大変に好かれたという。

このお母さんは、幼《おさな》いヘンダーソンさんを膝《ひざ》に乗せて、よく本を読んで聞かせてくれた。

「その時の温《あたた》かみや気持ちの良さは、何よりも素晴《すば》らしかった。それで本が好きになりました。やはり、自己《じこ》の開発《かいはつ》には読書《どくしょ》が一番と思います」と、彼女は私との対談《たいだん》のなかで振《ふ》り返っていた。

未来を創るのは自分自身の「心」

今、家庭《かてい》でも、学校でも、「読み聞かせ」や「読書《どくしょ》教育」への真摯《しんし》な努力《どりょく》が積《つ》み重《かさ》ねられている。

埼玉新聞で報道《ほうどう》されたが、県内《けんない》の小・中・高等《こうとう》学校での「朝《あさ》の十分間読書」活動の成果《せいか》は目覚《めざ》ましく、「集中力《しゅうちゅうりょく》がつく」「基礎《きそ》学力《がくりょく》が向上《こうじょう》した」等々、生活にも、学習《がくしゅう》にも、さまざまな効果《こうか》が現《あらわ》れているという。まことに心強いかぎりである。

「本が死ぬとき暴力《ぼうりょく》が生まれる」と言われるが、今の世相《せそう》そのものではないか。だからこそ読書《どくしょ》の運動はさらに広げていきたい。良き活字《かつじ》文化こそ、「平和の文化」の〝母〟となっていくからだ。

母なる地球《ちきゅう》も、新たな一年の回転《かいてん》を開始《かいし》した。

「今年こそは」と初々《ういうい》しい決意をもって新年の出発《しゅっぱつ》をした真剣《しんけん》な女性を、いにしえの先哲《せんてつ》は、「さいわいは心よりいでて我をかざる」と讃《たた》え励《はげ》まされている。

今までがどうであれ、未来《みらい》を創《つく》るのは自分自身の「心」である。環境《かんきょう》がどうであれ、希望を生みだしていくのも、周囲《しゅうい》を変えていくのも、これまた自分自身の「心」ではないだろうか。

ヘレン・ケラーは語《かた》っている。

「一日また一日が、両手《りょうて》で抱《かか》えきれないほどの可能性《かのうせい》をもって、私のもとへやって来ます」

「ベストを尽《つ》くせば、私たちの人生に、いかなる奇跡《きせき》が起こるか、はかりしれません」

埼玉新聞　２００２年１月１日

＊1　Joseph P. Lash, *Helen and Teacher: The Story of Helen Keller and Anne Sullivan Macy*, Delacorte Press.

＊2　R・ブラウニングの言葉。*The Works of Robert Browning*, vol.3, AMS Press, Inc.　有原末吉編『東西名言辞典』（東京堂出版）を参照

「家族」の絆

アフリカのケニアで活躍《かつやく》する日本人の女性が教えてくれた話《はなし》である。

「私の弟に問題《もんだい》が……」という知人《ちじん》に、「あなたに弟さんはいないでしょ」と聞き返した。すると知人は「従兄弟《いとこ》の従兄弟の、そのまた従兄弟のことだよ」と、微笑《ほほえ》んだ。

「そこまで面倒《めんどう》をみるの？」

「アフリカの文化では、みんな、つながっているんだよ！」

豊《ゆた》かな「生命愛の大地」アフリカは、四百万年ほど前、人類《じんるい》が誕生《たんじょう》した故《こ》郷《きょう》ともいわれる。遺伝子的《いでんしてき》には「人類は皆、家族《かぞく》」なのだ。

人を大切にする心を

日本では、今年（二〇〇六年）のある世論調査《せろんちょうさ》で、「社会の人間関係が希薄《きはく》になっている」と答えた人が、八十パーセントに達した。

その理由《りゆう》として、「人と接するのがわずらわしいと思う人が増《ふ》えた」、また「人の立場《たちば》を理解《りかい》できない人が増えた」等とあげられている。

本来《ほんらい》、最《もっと》も深い絆《きずな》で結ばれ、精神の拠《よ》り所《どころ》となる家庭《かてい》においても、痛《いた》ましい事件《じけん》が頻繁《ひんぱん》に報道《ほうどう》されるようになってしまった。

家族《かぞく》のあり方は千差万別《せんさばんべつ》であり、時代と共に変化もする。ただ一点、家族を家族たらしめる不変《ふへん》の力があるはずだ。それは、「人を大切《たいせつ》にする心」といえないだろうか。この心に育《はぐく》まれて、人は人となる。この心に支《ささ》えられて、人は強くなれるし、優《やさ》しくもなれるからだ。

私は、四人の兄と弟二人《ふたり》、妹一人《ひとり》と共に育《そだ》った。

ある日、皆で、スイカを割《わ》って食べた時、一人の子がスイカの嫌《きら》いな母の分も欲《ほ》しがった。しかし、母は「お母さんは、スイカが好きになったんだよ」と。その場に居合《いあ》わせなかった他の子の分を確保《かくほ》するためである。

一人一人を等《ひと》しく大切《たいせつ》にしてくれる母の公平《こうへい》な愛情《あいじょう》にふれ、幼心《おさなごころ》にも感動《かんどう》を覚《おぼ》えたことを思い出す。

世界へ広がる母の知恵

現代は、携帯《けいたい》電話やメールなど、人間をつなぐ道具《どうぐ》は急速《きゅうそく》に発達《はったつ》している一方《いっぽう》で、対話《たいわ》そのものは切実《せつじつ》に不足《ふそく》している時代である。

マータイ博士と会見（2005.2　東京）

家族《かぞく》こそ、対話《たいわ》を復興《ふっこう》させる源泉《げんせん》であろう。

ある心理学《しんりがく》の大家《たいか》は、全員《ぜんいん》が何でも言い合い、尊重《そんちょう》し合っていく「家族会議」を勧《すす》めておられた。それは、ぎくしゃくし始めている家族への特効薬《とっこうやく》ともなるというのである。

ノーベル平和賞を受賞《じゅしょう》されたケニアの環境《かんきょう》の母マータイ博士《はかせ》も、少女時代、家族との語《かた》らいのなかで、自然の大切《たいせつ》さを学んだ。

そして現在、地球《ちきゅう》の環境《かんきょう》を守るために戦い続けている原動力《げんどうりょく》は、どこにあるか。

博士は「どう進めばいいのかわからなくなってしまったら、三人のわが子をはじめ次《つぎ》の世代のことを考えて、勇気《ゆうき》をもらいます。子どもたちは、私の希望であり、不死身《ふじみ》の心を与《あた》えてくれるのです」と語られていた。

家族の絆《きずな》が、社会への貢献《こうけん》の力《ちから》となる。

社会への貢献が、家族の絆をより深める。

博士《はかせ》が今、環境保護《かんきょうほご》を訴《うった》える際《さい》、必《かなら》ず口にする一言《ひとこと》が、日本語の「もったいない」である。ここでも、物を大事にし、命《いのち》を慈《いつく》しむ日本の母たちの智慧《ちえ》の言葉が、家庭から世界へ、大きく広がっているのである。

埼玉新聞　2006年11月21日

母と子の勝利の世紀を

「いつも太陽の光に顔を向けていることです。そうしたら、目から影《かげ》は消《き》えるでしょう！」

有名なヘレン・ケラー女史《じょし》の言葉である。

二十一世紀になって三年目（二〇〇三年）の新年。内憂外患《ないゆうがいかん》というべきか、明るい話題《わだい》は少ないかもしれない。しかし、まっくらな闇《やみ》の中から光を生みだして生きた「三重苦《さんじゅうく》の聖女《せいじょ》」の言葉は、私たちに勇気《ゆうき》をくれる。

「元気《げんき》を出しなさい。今日《きょう》の失敗《しっぱい》ではなく、明日の成功《せいこう》のことを考えるのです」

「幸《しあわ》せの扉《とびら》がひとつ閉《と》じるとき、新しい扉がまたひとつ開《ひら》くのです。それなのに、しばしば私たちは、閉じられた扉を長く見つめすぎて、私たちに向かって開かれている扉を見ないのです」

闇を光に変えた〝母の愛〟

ヘレン・ケラー女史《じょし》は、二度、浦和《うらわ》の埼玉会館で講演《こうえん》した。一九三七年（昭和十二年）には、こう語《かた》っている。

「わたしは、今日、この会場に特別の思いをもってまいりました。それは、この埼玉県がわたしが尊敬《そんけい》する塙保己一《はなわほきいち》先生の生まれ育った郷里《きょうり》であるということを聞いていたからです。わたしがまだ小さいとき、母は塙先生のことを、繰《く》り返《かえ》しこう話《はな》してくれました。

『ヘレン、日本には、幼《おさな》いときに失明《しつめい》し、しかも点字《てんじ》も何もない時代に、努力《どりょく》して学問《がくもん》を積《つ》み、一流《いちりゅう》の学者《がくしゃ》になった塙保己一《はなわほきいち》という人がいたのですよ。だから、あなたも今は苦《くる》しいかもしれないけど、努力をすればどんなことでも必《かなら》ずできるのです。塙先生を目標《もくひょう》にがんばってごらんなさい』と。時にはくじけそうになったこともありましたが、この母の励《はげ》ましによって、現在のわたしがあるのです」*1

塙保己一先生については、改《あらた》めて言うまでもない。江戸《えど》時代の後期《こうき》、わが国最大《さいだい》の資料集《しりょうしゅう》『群書類従《ぐんしょるいじゅう》』を編《へん》さんした大文献《だいぶんけん》学者である。この偉業《いぎょう》がなければ、古今《ここん》の貴重《きちょう》な書物《しょもつ》の数々が、永遠《えいえん》に失われてしまったはずである。

字《じ》を覚《おぼ》える前に失明したにもかかわらず、一度聞いたことは完《かん》ぺきに覚えるという記憶力《きおくりょく》によって、正編《せいへん》五百三十巻《かん》、続編《ぞくへん》千百五十巻もの叢書《そうしょ》を編《あ》んだ（続編《ぞくへん》は死後に完成《かんせい》）。「世界一の読書家《どくしょか》」と呼《よ》ぶ人もいる。

武蔵国《むさしのくに》の児玉郡保木野《こだまごおりほきの》（現在の埼玉県本庄市児玉町《ほんじょうし》）の農家《のうか》に生まれ、満《まん》六歳《さい》の年に失明《しつめい》。お母さんは名医《めいい》を求《もと》めて、遠《とお》い藤岡《ふじおか》（現在の群馬県藤岡市）へも、わが子を背負《せお》っていった。

失明の五年後には、そのお母さんも亡《な》くなり、息子《むすこ》の将来《しょうらい》を悩《なや》んだお父さんが江戸《えど》に送り出《だ》したのである。

十四歳の少年の少《すく》ない荷物《にもつ》の中には、亡くなったお母さんの手作《てづく》りの小銭《こぜに》入れがあった。中身《なかみ》は、わずかに「そば一杯半《いっぱいはん》」分《ぶん》のお金しか入っていなかった。[*2]しかし、母の慈愛《じあい》がいっぱいに詰《つ》まった巾着《きんちゃく》であった。

少年は、江戸に出てからも、挫折《ざせつ》の連続《れんぞく》であり、自殺未遂《じさつみすい》にまで追いつめられた。塙《はなわ》先生の生涯《しょうがい》をつづった本には、そのシーンが見事《みごと》に描《えが》かれている。

前途《ぜんと》に絶望《ぜつぼう》した保己一《ほきいち》少年が、まぶたの裏《うら》にお母さんを描《えが》きながら、深《ふか》い淵《ふち》に身を投げようとした、その瞬間《しゅんかん》のこと、「胸《むね》で合わせた手に巾着《きんちゃく》が当たった。『おっ母《か》さんっ、おっ母さんっ』[*3]」。

そして彼は我に返った。

その後、師匠《ししょう》の聡明《そうめい》な配慮《はいりょ》のおかげで、少年は才能《さいのう》を存分《ぞんぶん》に発揮《はっき》していくことになる。

お母さんの形見《かたみ》のこの小さな巾着は、終生《しゅうせい》、大切《たいせつ》に守《まも》り通《とお》された。今なお、児《こ》玉《だま》町の塙《はなわ》記念館に保《ほ》存《ぞん》されているそうだ。

日本とアメリカの「闇《やみ》を光に変えた人」は、ともに、お母さんの慈《じ》愛《あい》を一《いっ》生涯《しょうがい》、忘れなかった。だれが自分を見はなそうとも、自分を抱《だ》きしめ、励《はげ》まし続けてくれた母。だれが「この子はダメだ」と決めつけようとも、自分を信じ、自分をこの世《よ》の「宝《たから》」として、いつくしんでくれた母。この母の愛を信じきれたからこそ、どんなときにも「生きていこう」という力《ちから》がわいたのだと思う。生きる上での根本的《こんぽんてき》な自《じ》信《しん》を持てたのだと思う。

現代は、簡単《かんたん》に人を傷《きず》つけたり、人を切り捨《す》てようという弱肉強食《じゃくにくきょうしょく》の世の中である。しかし母の愛はちがう。家《か》族《ぞく》の愛はちがう。障害《しょうがい》があればある

東京　1997.12

ほど、問題《もんだい》があればあるほど、強く大きく燃《も》え上がる。

子どもは大人の生き方を映す鏡

私は、ハワイの州知事《しゅうちじ》を長くされていたジョージ・アリヨシ氏《し》と何回かお会いした。

アリヨシ氏が両親《りょうしん》の祖国《そこく》・日本に来たのは、終戦直後《しゅうせんちょくご》、占領軍《せんりょうぐん》の通訳《つうやく》としてであった。東京は焼《や》け野原《のはら》だった。最初《さいしょ》に言葉をかわした靴磨《くつみが》きの少年は、ひどくおなかをすかせていた。アリヨシ青年は、そっとサンドイッチを手渡《てわた》した。

しかし、少年は、受け取ったサンドイッチを食《た》べようとしない。大事そうに箱《はこ》に入れた。

「どうして食べないの？　死ぬほど腹《はら》がへってるんじゃなかったの？」「で

も……マリコに持って帰ってやりたいんだ」「マリコって?」「妹だよ。三歳《さい》なんだ」。そう言った少年も、まだ七歳であったのだ!*4

貧《まず》しさのなかで燃《も》え上がった家族愛《かぞくあい》である。

一方《いっぽう》、豊《ゆた》かな物質《ぶっしつ》生活のなかで「家庭崩壊《かていほうかい》」や「家族解体《かいたい》」が論《ろん》じられ始めて久《ひさ》しい。

ヘレン・ケラー女史《じょし》は、「人格《じんかく》は、安易《あんい》さと静《しず》けさのなかでは鍛《きた》えられません。ただ、試練《しれん》と苦悩《くのう》の体験《たいけん》を通《とお》してしか、魂《たましい》は強くなりません」と言ったが、「家族の絆《きずな》」も同じなのかもしれない。試練を共有《きょうゆう》してこそ、幸福も共有できるのであろう。

ヘレン・ケラー先生と塙《はなわ》先生を偉大《いだい》だと私が思う焦点《しょうてん》のひとつは、両親《りょうしん》と師匠《ししょう》から注《そそ》がれた慈愛《じあい》を、自分のことだけにとどめることなく、社会の多くの人たちに広げて、返していった生き方である。川を大海《たいかい》へと広げるように──。ふたりとも、後進《こうしん》の人々のために尽《つ》くし抜《ぬ》いておられる。いわば「開かれた家族愛《かぞくあい》」である。

その崇高《すうこう》な姿《すがた》から学んで、私たちは未来《みらい》に生きゆく子どもたちへ、母のごとき愛を届《とど》けていきたい。

「子どもを救《すく》え！」――それを、すべての大人《おとな》が「二十一世紀の第一の優《ゆう》先課題《せんかだい》」とすべきではないだろうか。

世界では今も、地雷《じらい》で死んだり、手足を失う子どもが後《あと》をたたない。二十世紀の初めまで戦死者《せんししゃ》の多くは軍人《ぐんじん》だった。しかし、その後《ご》は、子どもや女性を中心とする一般市民《いっぱんしみん》が九十パーセントになった。二十世紀は「最大《さいだい》に母と子どもを犠牲《ぎせい》にした世紀」だったのである。

現在、世界の「四歳《さい》までの子ども」のうち、栄養状態《えいようじょうたい》が極《きわ》めて悪い子どもは一億《おく》五千万人。毎年、一千万人以上が「栄養不良《ふりょう》」や「予防《よぼう》できる病気」で死んでいく。そのうち半分《はんぶん》は生後《せいご》一ヵ月にならない赤ちゃんである。

しかも世界に、この子らを救う経済力《けいざいりょく》がないわけではない。世界の総所得《そうしょとく》の「一パーセントの三分の一」(約一千億《おく》ドル)を、安全《あんぜん》な飲《の》み水《みず》など基礎的《きそてき》な社会サービスに使えば、世界のすべての子どもに健康な環境《かんきょう》を用意《ようい》できる。また、世界の軍事費《ぐんじひ》の「わずか一パーセント」があれば、世界中の子どもたちを学校に行かせることができるという。

物資《ぶっし》が足《た》りないのではない。先端技術《せんたんぎじゅつ》が足りないのではない。政治的意思《いし》が足りないのである。慈愛《じあい》が足りないのである。生命を守《まも》り育《はぐく》む「開かれた家族愛《かぞくあい》」が、世界を動かす原理《げんり》になっていないのである。一家《いっか》でいえば、大人《おとな》が飽食《ほうしょく》しながら、子どもたちを飢《う》えさせ、学校にもやらずに働《はたら》かせて、病気にさせているような状況《じょうきょう》といってよい。

その意味でも、二十一世紀を「家族愛の世紀」「地球《ちきゅう》家族の世紀」にしなければならないと私は信ずる。それは慈愛の力《ちから》で、すべての人の生命から最《さい》高《こう》の可能性《かのうせい》を引《ひ》き出していく世紀である。

子どもたちは「鏡《かがみ》」である。大人の生き方を映《うつ》す「鏡」なのである。一家庭にあっても、世界にあっても。

まず〝自分〟が変わること

私は、インドのマハトマ・ガンジー氏の孫《まご》、アルン・ガンジー氏（アメリカの「ガンジー非暴力研究所《ひぼうりょくけんきゅうじょ》」創立者《そうりつしゃ》）と親交《しんこう》を結んでいる。アルン氏の父マニラール氏は、マハトマの後継者《こうけいしゃ》として、世界で最《もっと》も人種差《じんしゅさ》別《べつ》の激《はげ》しい南アフリカで差別と戦《たたか》った「非暴力の闘士《とうし》」であった。

それは、アルン氏が十六歳《さい》の時の出来事《できごと》である。お父さんを、三十キロメートル離《はな》れた町まで車に乗せていった。お父さんが町で会合に出ている間に、買い物をし、車の修理《しゅうり》をする約束《やくそく》だった。アルン少年は急いで修理を頼《たの》むと、映画館《えいがかん》に飛《と》び込《こ》んだ。夢中《むちゅう》で観《み》ていた。

気がつくと、待ち合わせの時間を三十分もすぎていた。あわてて車を引き取り、駆《か》けつけた。心配して待っていたお父さんに、つい「車の修理《しゅうり》に時間がかかって、待たされた」と、うそを言ってしまった。お父さんは、だまされなかった。すでに修理屋に電話していたのである。それなのに、叱《しか》らなかった。父は言った。

「おまえに真実《しんじつ》を言う勇気《ゆうき》がなかったのは、私の育《そだ》て方《かた》に問題がある」「私がおまえに対してどの点で間違《まち》がっていたのかを考えるために、私は家まで歩いて帰ることにする」

とっぷりと日は暮《く》れ、一面《いちめん》のサトウキビ畑《ばたけ》で、街灯《がいとう》もなければ、道《みち》も舗装《ほそう》などされていない。ぬかるみの道を、父が黙々《もくもく》と歩く。少年は後《うし》ろから、父の足元《あしもと》をヘッドライトで照《て》らしながら、ついていくしかなかった。家まで五時間半かかった。*5

「父が苦《くる》しみ、悲嘆《ひたん》にくれて歩く姿《すがた》を見て、『もう二度《ど》と、ウソはつくまい』と決心《けっしん》しました。もしも、この時、父にどなられていただけなら、『次からは、ばれないように、うまくやろう』と思っただけだったでしょう」とアルン氏は振《ふ》り返る。*6

「非暴力《ひぼうりょく》」とは、単《たん》に暴力を使わないというだけではない。暴力は、問題《もんだい》や対立《たいりつ》の原因《げんいん》を「人のせい」にするところから生まれる。非暴力とは、その反対《はんたい》に、「まず自分が変わろう」とする生き方なのである。

そういう心があれば、社会も家庭《かてい》も、どんなに平和になることだろう。

大切なものは目には見えない

かなり前に、埼玉の友と夏目漱石《なつめそうせき》の文学《ぶんがく》を語《かた》り合った思い出がある。漱石は、友人の正岡子規《まさおかしき》に誘《さそ》われて大宮公園《おおみやこうえん》に行ったこともあるという。晩年《ばんねん》の自伝的作品《じでんてきさくひん》『道草《みちくさ》』では、夫婦《ふうふ》の心のすれちがいが描《えが》かれている。

漱石の分身《ぶんしん》である大学教師の健三《けんぞう》と、高級官僚《こうきゅうかんりょう》の娘である妻・お住《すみ》。世間《せけん》の目には、何の不足《ふそく》もない家庭《かてい》と見えたかもしれない。だが、二人《ふたり》の間は、いつもぎくしゃくしていた。

ある時、健三《けんぞう》が、家計《かけい》の足《た》しにと思って、アルバイトをする。きっと妻は喜んでくれるだろうと期待《きたい》して、その給金《きゅうきん》を渡《わた》すと、案《あん》に相違《そうい》して「其時細君《そのときさいくん》は別に嬉《うれ》しい顔もしなかった」。健三は傷《きず》つく。

しかし、お住《すみ》のほうでは「若《も》し夫が優《やさ》しい言葉に添《そ》えて、それを渡して呉《く》れたなら、屹度《きっと》嬉しい顔をする事ができたろうにと思った」のである。

一方《いっぽう》、健三のほうでは「若し細君が嬉しそうにそれを受取ってくれたら優しい言葉も掛《か》けられたろうにと考えた」

こうして互《たが》いに相手を決めつけ、互いに不満《ふまん》を積《つ》もらせながら、結局《けっきょく》、「二人とも現在の自分を改《あらた》める必要《ひつよう》を感じ得なかった」。

漱石《そうせき》は、夫婦《ふうふ》の微妙《びみょう》な心理《しんり》の綾《あや》を、このように描《えが》いている。*7

目は見えても、目の前にいる家人《かじん》の心さえ、なかなか見えない。目の前の子どもの可能性《かのうせい》が見えない。未来《みらい》に向《む》かって洋々《ようよう》と開《ひら》かれた「人生の新しき扉《とびら》」が見えない。見えないで、だめだと決めつけ、あきらめている。そういう人生では、もったいないのではないだろうか。

塙保己一《はなわほきいち》先生の有名《ゆうめい》な逸話《いつわ》がある。ある夜、弟子《でし》たちに講義《こうぎ》をしていると、風が吹いて、ろうそくの火《ひ》が消《き》えた。真《ま》っ暗《くら》になり、あわてる弟子たちに、先生は微笑《ほほえ》んで言ったそうである。

「いやはや、目が見える人は不自由《ふじゆう》なものですね*8」

ヘレン・ケラー女史《じょし》も、このエピソードを愛しておられたという。女史は言った。「一番素晴《すば》らしく、一番美しいものは、目で見ることも、さわることもできません。それらは『心で感じる』ほかないのです」

新しい一年、そういう心の眼《まなこ》を磨《みが》いていきたいと思う。

始まったばかりの二十一世紀を、力《ちから》と力がぶつかり合う荒廃《こうはい》の世紀にしてはならない。子どもをはじめ弱い立場の人を最優先《さいゆうせん》して、みんなで守りゆく

「家族愛《かぞくあい》の世紀」「母と子の勝利《しょうり》の世紀」にしたい。

夢物語《ゆめものがたり》だとあきらめさえしなければ、不可能《ふかのう》をも可能にできる。そのことを、アメリカと、そして埼玉の「ふたりの奇跡《きせき》の人」が教えてくれているからである。

埼玉新聞　2003年1月7日

＊1　塙正一著『奇跡の人・塙保己一　ヘレン・ケラーが心の支えとした日本人』（埼玉新聞社）
＊2　塙正一著『塙保己一とともに　ヘレン・ケラーと塙保己一』（はる書房）参照
＊3　花井泰子著『眼聴耳視　塙保己一の生涯』（紀伊國屋書店）
＊4　George R. Ariyoshi, *With Obligation to All*, Ariyoshi Foundation.
＊5　塩田純著『ガンディーを継いで』（日本放送出版協会）から引用・参照
＊6　「第三文明」１９９８年12月号、趣意
＊7　『夏目漱石全集7』（筑摩書房）
＊8　前掲『奇跡の人・塙保己一』参照

子どもは「未来の太陽」

フランスの文豪《ぶんごう》ユゴーは叫《さけ》んだ。

「子どもの本当の名前《なまえ》は何か?」「それは『未来《みらい》』である!」と。*1

ゆえに、「子ども」を育てることは「未来」を育てることといってよい。

私が「社会のための教育」から「教育のための社会」への転換《てんかん》を訴《うった》えてきたのも、「人間をつくること」にこそ、現代の行《い》き詰《づ》まりを打開《だかい》しゆく希望を見出《みいだ》すからである。

私は、世界の識者《しきしゃ》や指導者との語《かた》らいの折《おり》に、必《かなら》ずといってよいほど、ご両親《りょうしん》からの影響《えいきょう》を伺《うかが》うように心がけてきた。人間にとって、最初《さいしょ》にして最大《さいだい》の教育環境《かんきょう》は、家庭《かてい》である。それぞれの方々に、一生《いっしょう》の支《ささ》えとしている父母《ちちはは》の思い出がある。そこには、万巻《ばんかん》の書《しょ》にも勝《まさ》る、生きた教訓《きょうくん》が光っているものだ。

現在、私と対談《たいだん》している（対談集『人間主義《しゅぎ》の旗《はた》を』として発刊《はっかん》）、世界的な心臓外科医《しんぞうげかい》で、ヨーロッパ科学芸術《かがくげいじゅつ》アカデミーの会長であるウンガー博士《はかせ》は、亡《な》き父母を偲《しの》びながら語っておられた。

「父から学んだのは、今のような乱《みだ》れた時代にあっては、『正《ただ》しく語る』『正義《せいぎ》を語る』ことが大事だということです」

「母から学んだのは、『恐《おそ》れない』ということです。母は、どんな問題《もんだい》に突《つ》き当《あ》たっても『こんなことは何でもない！』『解決策《かいけつさく》は必《かなら》ずある！』というのが常《つね》でした」

今の社会には、青少年を狙《ねら》った凶悪《きょうあく》な「犯罪《はんざい》」や、悪質化《あくしつか》する「いじめ」の問題《もんだい》など、子どもの心をしぼませたり、傷《きず》つけたりする悪条件《あくじょうけん》が、あまりにも多すぎる。

哲学者《てつがくしゃ》のルソーは、教育書『エミール』で、「家庭《かてい》生活の魅力《みりょく》は悪習《あくしゅう》にたいする最良《さいりょう》の解毒剤《げどくざい》である」*2と洞察《どうさつ》した。何ものにも負《ま》けない「強さ」と「正《ただ》しさ」と「賢《かしこ》さ」を育《はぐく》む源泉《げんせん》こそ、心豊《ゆた》かな家庭教育であろう。

子どもを育てることは生命の芸術

人間教育は、尊極《そんごく》な「生命」を対象《たいしょう》とする技術《ぎじゅつ》であり、芸術《げいじゅつ》である。

それは、固定化《こていか》した「知識《ちしき》」ではあるまい。子どもと関《かか》わる真剣《しんけん》さ、そして子どもを思いやる慈愛《じあい》から、生き生きと湧《わ》き出《い》ずる「智慧《ちえ》」ではないだろうか。

私のよく知るある母親《ははおや》は、忙《いそが》しい毎日の中にあっても、三人のお子さんを家から送り出す時、必《かなら》ず笑顔《えがお》で、目を見ながら「行ってらっしゃい！」と声をかけることを心がけてきたという。帰宅《きたく》した時も、目を見て「お帰《かえ》りなさい！」と笑顔で迎《むか》える。

ちょっとした工夫《くふう》であり努力《どりょく》であったが、持続《じぞく》は力《ちから》である。自然のうちに、心と心が通《かよ》い合うリズムができ、子どもの微妙《びみょう》な変化をキャッチできる機会《きかい》ともなったようだ。

以前《いぜん》、東京の女性教育者が小学五年生を対象《たいしょう》に行ったアンケートの結果は、まことに興味深《きょうみぶか》い。

親から「かけてほしい言葉」の第一位は、何か。「よくがんばったね！」である。第二位は「頭《あたま》いいね、さすがだね！」。第三位は「ありがとう！」であった。

反対《はんたい》に、「かけてほしくない言葉」の第一位は「バカだね」「やっぱりダメだ」「できっこない」などの否定的《ひていてき》な言葉である。第二位は「もっと勉強《べんきょう》しなさい」。第三位は、いやみであった。

「ほめる言葉」「感謝《かんしゃ》の言葉」「励《はげ》ましの言葉」が絶《た》えない家庭《かてい》は、やはり希望と自信《じしん》と活力《かつりょく》に弾《はず》んでいる。「声」の力《ちから》は、計《はか》り知れない。

これからは、ますます、若《わか》い人たちを「ほめて伸《の》ばす」時代であると、私は実感《じっかん》する一人《ひとり》である。青少年に接《せっ》する時は、八割《わり》から九割は「ほめる」「励ます」。あとの一割から二割で「指導する」「注意《ちゅうい》する」――大人《おとな》たちには、それくらいの大《おお》らかさが求《もと》められているのではないだろうか。

目的を自覚したときに才能の芽は伸びる

アイルランドの詩人《しじん》イェーツは言った。

「教育とは『桶《おけ》を満《み》たす』ことではなく、『火を点《と》す』ことである」

今や、頭脳《ずのう》を満たす情報《じょうほう》は氾濫《はんらん》している。だからこそ、大事なことは、心に「火を点す」ことである。「やる気にさせる」ことである。〝やればできる〟〝自分にもできる〟と「自信《じしん》を持たせる」ことである。

「何のために」学ぶのかを深《ふか》く自覚《じかく》できれば、若《わか》き才能《さいのう》の芽《め》は急速《きゅうそく》に伸《の》びていくものだ。

子どもたちの心に、この前進《ぜんしん》のエネルギーを点火《てんか》するためには、何よりもまず、親自身の心が燃《も》えて前進していなければなるまい。「心」を燃え上がらせるものは「心」であるからだ。

私が共に二冊の対談集《たいだんしゅう》（『新しき人類《じんるい》を 新しき世界を』『学は光』）を発刊《はっかん》した、モスクワ大学のサドーヴニチィ総長も述懐《じゅっかい》されていた。

「親自身が子どもを育てることを通《つう》じて成長していく場合《ばあい》に、家族《かぞく》は絆《きずな》を強め安定《あんてい》します」と。

私自身、子どもの頃《ころ》を振《ふ》り返ってみると、やかましく躾《しつけ》や教育をされた記《き》憶《おく》はない。

母は、いい学校へ行けとか、出世《しゅっせ》しろ、偉《えら》くなれなどとは、一言《ひとこと》も言わなかった。家業《かぎょう》の海苔《のり》の仕事場《しごとば》で、友だちとにぎやかに遊《あそ》んでいても、怒《おこ》られたり、いやな顔を見ることはなかった。

母は、海苔の養殖《ようしょく》をはじめ家事《かじ》の万般《ばんぱん》を担《にな》い、真冬《まふゆ》でも早朝《そうちょう》から深夜《しんや》まで、小さな体《からだ》で愚痴《ぐち》一つこぼさずに働《はたら》き通《とお》していた。戦前《せんぜん》、戦中《せんちゅう》と、リウマチの父を支《ささ》え、四人の息子《むすこ》を次々《つぎつぎ》に軍隊《ぐんたい》に奪《うば》われながらも、強く朗《ほが》らかに生き抜《ぬ》く母であった。

疎開《そかい》のため、ようやく造《つく》ったばかりの家も空襲《くうしゅう》で全焼《ぜんしょう》してしまった。かろうじて運《はこ》び出せた長持《ながも》ちの中は、開《あ》けてみると妹の雛人形《ひなにんぎょう》のみであった。皆が落胆《らくたん》するなかで、明るく「このお雛様《ひなさま》が飾《かざ》れるような家に、きっと住《す》めるようになるよ！」と言った母の一言《ひとこと》に、どれだけ救《すく》われたことか。

この母から「人さまには迷惑《めいわく》をかけるな」「嘘《うそ》はつくな」ということだけは、繰《く》り返《かえ》し諭《さと》された。母のこの素朴《そぼく》な戒《いまし》めは、私の心の奥底《おくそこ》に深《ふか》く植《う》えつけられた。

そして時とともに、「人の不幸《ふこう》の上に自分の幸福を築《きず》いてはならない」という哲学《てつがく》、「真実《しんじつ》は最大《さいだい》の弁明《べんめい》なり」という信念へ結実《けつじつ》していった。

ともあれ、心の中に尊《とうと》い宝《たから》となって、いつまでも輝《かがや》き続《つづ》ける価値観《かちかん》を、親から確《たし》かに継承《けいしょう》した人生は、いかなる財産《ざいさん》を相続《そうぞく》した富豪《ふごう》よりも幸福であると思う。

社会に貢献する精神を子どもたちに

私の人生の師《し》は、よく「世界、社会に貢献《こうけん》させることを目標《もくひょう》において、わが子を愛していきなさい」と言われていた。

それには、親が率先《そっせん》して、人びとのため、社会のために、行動《こうどう》に打って出ることだろう。その後《うし》ろ姿《すがた》を、子どもはじっと見つめているからだ。

あのアメリカ公民権《こうみんけん》運動の指導者であるキング博士《はかせ》は、父親から「頑固《がんこ》な牡牛《おうし》のような勇気《ゆうき》」を受け継《つ》いだといわれる。

幼《おさな》き日、キング少年が父と一緒《いっしょ》に買い物に出たときのことである。空《あ》いている白人用《はくじんよう》の席《せき》に座《すわ》っていると、店員《てんいん》に後ろの席へ移《うつ》れと強要《きょうよう》された。父親は、理不尽《りふじん》な要求《ようきゅう》を断固《だんこ》と拒否《きょひ》して、息子《むすこ》にこう語《かた》ったという。

「もう、こんな人種差別《じんしゅさべつ》はたくさんだ！　わが息子よ、こうした世の中を変えていくのだ」

やがて、キング博士が、この父の心を心とし、命《いのち》を賭《と》して非暴力《ひぼうりょく》の戦《たたか》いを貫《つらぬ》き、人種差別のない時代を開いていったことは、不滅《ふめつ》の歴史《れきし》である。

いずれにせよ、子育てには、決められた形《かたち》はない。各家庭《かくかてい》ごとに違《ちが》いがあり、特色《とくしょく》があって、当然《とうぜん》であろう。しかし、良書《りょうしょ》を読むことの大切《たいせつ》さは、い

東京　2007.7

くら強調《きょうちょう》しても、し過《す》ぎることはあるまい。

中国に「書香《しょこう》の家」という美しい言葉がある。すなわち、書物《しょもつ》の香《かお》りに満《み》ちた環境《かんきょう》を指《さ》す。

とりわけ、お子さんが幼《おさな》い時、親が読み聞かせをしてあげることは、何ものにも代《か》え難《がた》い精神の薫陶《くんとう》となる。

私が対話《たいわ》を重ねた、イギリスの大歴史学者《だいれきしがくしゃ》アーノルド・トインビー博士《はかせ》も、お母さんの読み聞かせが、その使命《しめい》の生涯《しょうがい》を決定《けってい》づけた。

博士が五、六歳《さい》の頃《ころ》、お母さんは、毎晩《まいばん》、ベッドに寝《ね》かせつけてくれながら、イギリスの歴史を、はじめから全部《ぜんぶ》、楽《たの》しく話《はな》してくれたという。*3 その面白《おもしろ》さに、博士の幼《おさな》い心は躍動《やくどう》した。「二十世紀最大《さいだい》の歴史家」と讃《たた》えられる博士の魂《たましい》の揺籃《ようらん》が、ここにある。

親が一生懸命《いっしょうけんめい》に読み語《かた》る童話《どうわ》や名作《めいさく》、胸躍《おど》る偉人《いじん》や歴史の物語《ものがたり》は、どんなテレビやインターネットよりも鮮烈《せんれつ》に、名画《めいが》の如《ごと》き映像《えいぞう》を子どもの心のキャンパスに描《えが》き出していくに違《ちが》いない。

子どもの生命輝かす励ましを

幸《さいわ》い、千葉県には、まだまだ身近《みぢか》に、海や山や森など、豊《ゆた》かな自然《しぜん》が光っている。

この懐《ふところ》の深《ふか》い自然の息吹《いぶき》を親子で呼吸《こきゅう》しながら、子どもたちの心の世界を広げていけることは、素晴《すば》らしいことだ。

千葉県ゆかりの大先哲《だいせんてつ》は、弟子《でし》夫妻に子どもが誕生《たんじょう》したことを寿《ことほ》ぎ、その生命の尊《とうと》さを「全宇宙《ぜんうちゅう》と等《ひと》しい価値《かち》をもつ無上《むじょう》の宝珠《ほうじゅ》」に譬《たと》えられた。

まさしく、子どもの生命は、宇宙大の尊厳《そんげん》と可能性《かのうせい》を秘《ひ》めた最極《さいごく》の宝《たから》である。

どの子も、その宝の生命を、思う存分《ぞんぶん》に輝《かがや》かせ切《き》っていけるように、私たちは惜《お》しみなく励《はげ》ましを贈《おく》っていきたい。

ユゴーは叫《さけ》んだ。

「我々の目の前にいる子どもたちを教育していこう。そうすれば、新しき世紀は赫々《かつかく》と光り輝《かがや》くであろう。子どもの中に燃《も》える炎《ほのお》こそ、未来《みらい》の太陽なのである」*4

千葉日報　２００６年３月16日

*1　『ユーゴー全集4』「追放」（神津道一訳、ユーゴー全集刊行会）を参照
*2　『エミール（上）』（今野一雄訳、岩波文庫）
*3　アーノルド・トインビー、フィリップ・トインビー著『現代人の疑問』（黒沢英二訳、毎日新聞社）を参照
*4　前掲「追放」を参照

Ⅱ

家庭・地域

子は宝　健全な「精神の広場」築く

「あれになろう、これに成《な》ろうと焦心《あせ》るより、富士のように、黙《だま》って、自分を動かないものに作りあげろ」

小学校の恩師《おんし》が、読み聞かせてくれた『宮本武蔵《みやもとむさし》』（吉川英治著）の一節《いっせつ》である。

私が学園《がくえん》を創立《そうりつ》する際《さい》、敷地《しきち》の条件《じょうけん》としたのも、「富士が見えること」であった。

天下一《てんかいち》の富士を擁《よう》する静岡は、若《わか》き魂《たましい》を啓発《けいはつ》しゆく「人間教育」の理想《りそう》の大地である。

昨今《さっこん》、「地域《ちいき》に子どもたちの居場所《いばしょ》がなくなった」という重大《じゅうだい》な指摘《してき》がある。にぎやかな活気《かっき》に満《み》ちた子どもたちの空間《くうかん》こそ、社会の希望だ。平和の光は、そこから生まれる。

県内《けんない》では、各市町村《かくしちょうそん》で「地域子ども教室」などを力強く推進《すいしん》していると、うかがった。

日本一のサッカー王国でもあり、少年サッカーの人材育成によって培《つちか》われてきた「地域一体《いったい》の教育」の伝統《でんとう》が光っている。

教員や親の大切《たいせつ》さは、いうまでもない。と同時《どうじ》に、改《あらた》めて見直されるべきは、「近隣《きんりん》の大人《おとな》たち」の関《かか》わりである。

私の若《わか》き友人であるイタリアのロベルト・バッジョ選手《せんしゅ》も、少年時代にサッカーを教えてくれた近所《きんじょ》のパン屋《や》さんを、感謝《かんしゃ》を込《こ》めて「最初《さいしょ》の師匠《ししょう》」と呼んでいた。

私にも、忘れ得ぬ思い出がある。小学六年生から三年間、新聞配達《はいたつ》をした。そのとき、アパート住《ず》まいの早起《はやお》きの若《わか》い夫妻が、いつも笑顔《えがお》で迎《むか》えてくれたのである。ある朝《あさ》は、乾燥《かんそう》イモを両手《りょうて》いっぱいに持たせてくれた。夕食《ゆうしょく》に招《まね》いて、「発明王《はつめいおう》エジソンも、少年時代に新聞の売《う》り子をしながら勉強《べんきょう》したんだ。小さいときに苦労《くろう》した人が幸《しあわ》せなんだよ」と、励《はげ》ましてくれたこともある。

自分を温《あたた》かく見守ってくれる人々がいる。その無償《むしょう》の善意《ぜんい》が、子どもの健《すこ》やかな成長にとって、どれほど大きな滋養《じよう》となるか。

「暴力的《ぼうりょくてき》な非行《ひこう》に走る子どもの多くは、『自分のことに誰も関心を払ってくれない』という疎《そ》外感《がいかん》を持っている」とは、アメリカの高名《こうめい》な教育者の警鐘《けいしょう》であった。

中国の周恩来総理《しゅうおんらいそうり》ご夫妻は、「全中国の子どもが、皆、わが子です」と言われ、戦争孤児《せんそうこじ》を育てられてもいた。

「子どもは地域《ちいき》全体の宝《たから》である」「大人《おとな》は、地域の子どもを応援《おうえん》する〝成長のサポーター〟に！」――そうした心の結集が、社会の教育力を高《たか》めていくのではないだろうか。

私は、モスクワ大学のサドーヴニチィ総長《そうちょう》と「文明と教育」をテーマに対《たい》談《だん》を続けてきた（対談集『学は光』として発刊）。

創立《そうりつ》二百五十年のモスクワ大学の誇《ほこ》り高き教育の魂《たましい》は何か。それは、未完《みかん》成《せい》の学生の可能性《かのうせい》を信じ、そして自分以上《いじょう》に育てようとする心であると、総長は語《かた》られた。

権力者《けんりょくしゃ》は、青年を見下《みくだ》し利用《りよう》する。指導者は、青年を尊敬《そんけい》し育成する。

いかなる分野《ぶんや》であれ、その人物《じんぶつ》の真価《しんか》は、個人《こじん》としての業績《ぎょうせき》だけではなく、後継《こうけい》の流れをどう作り上げたかで決まるといってよい。

富士のごとく堂々と

先日、ある女性教育者の尊《とうと》い実践記録《じっせんきろく》を拝見《はいけん》した。娘さんの不登校《ふとうこう》を乗り越えた体験を活《い》かし、子育てに悩むお母さん方を支援《しえん》するネットワークを結んできたという。

最近《さいきん》の児童虐待《じどうぎゃくたい》の背景《はいけい》には、相談相手《そうだんあいて》のいない親たちの孤立《こりつ》があるとも言われる。声をかけ、励《はげ》まし合う草《くさ》の根《ね》の連帯《れんたい》は、母と子の笑顔《えがお》を守り支《ささ》えゆく希望の存在となろう。

ともあれ、若《わか》き世代と共に生き生きと学び、新しい価値《かち》を創造《そうぞう》しゆく「精神の広場《ひろば》」を、身近《みぢか》な所から広げていきたいものだ。

この点、新聞が学校と協力《きょうりょく》して取り組む「NIE（教育に新聞を）」の活動は、貴重《きちょう》である。〝新聞が健全《けんぜん》であれば読者《どくしゃ》も健全である〟とは、静岡新聞の創業者《そうぎょうしゃ》・大石光之助《おおいしこうのすけ》氏の信念であった。健全《けんぜん》な活字《かつじ》文化から発信《はっしん》される健全な教育力が、今ほど求められる時はない。

かつて、彼方《かなた》に富士を見つめながら語《かた》り合った、「ヨーロッパ統合《とうごう》の父」クーデンホーフ・カレルギー伯《はく》は力説《りきせつ》された。

「良き学校と新聞は、非暴力《ひぼうりょく》の力《ちから》で世界を刷新《さっしん》し向上《こうじょう》させゆく、二つの原点である」＊1

富士の山頂《さんちょう》は烈風《れっぷう》である。しかし微動《びどう》だにしない。富士のごとく堂々《どうどう》たる「教育力」を、二十一世紀に、どっしりと築《きず》き残《のこ》すことこそ、私たちの責務《せきむ》ではないだろうか。

静岡新聞　2004年6月3日

＊1　『実践的理想主義』（鹿島守之助訳、鹿島研究所出版会）を参照

「地域」は希望の源泉

「われわれ人間は、物質的《ぶっしつてき》な繁栄《はんえい》だけではなく、人間自身のことに、そして人間の連帯《れんたい》と共存《きょうぞん》について、関心を持たねばなりません」

あの「ベルリンの壁《かべ》」が崩壊《ほうかい》した後《あと》、東西《とうざい》ドイツの統合《とうごう》に尽《つ》くしてこられたヴァイツゼッカー初代大統領《しょだいだいとうりょう》は、私に強く語《かた》られた。

人を分断《ぶんだん》する「壁」を、いかにして破《やぶ》るか。

心を結び合う「道」を、いかにして創《つく》るか。

この「平和の文化」を建設《けんせつ》しゆく出発点《しゅっぱってん》こそ、いちばん足元《あしもと》の「地域《ちいき》社会」である。

ヴァイツゼッカー大統領《だいとうりょう》の平和行動の原点も、少年時代、母に連《つ》れられて、親のいない子どもたちの世話《せわ》をする地域活動に参加したことにあった。そこで、さまざまな境遇《きょうぐう》の人々と手を取り合って、共に生きることに目を開かれたという。*1 母子《ははこ》しての地域貢献《こうけん》の体験が、のちの哲人《てつじん》指導者の魂《たましい》を深く育《はぐく》んでいったのである。

昨年、発表《はっぴょう》された埼玉の県民意識《けんみんいしき》調査《ちょうさ》では、地域や社会のための活動を「したことがない」「したことはあるが、今はしていない」と答えた人が八割《わり》を超《こ》えた。時間やきっかけがないことが、主《おも》な理由《りゆう》として挙《あ》げられている。

しかし、貢献の活動を「しようと思わない」と答えた人は、一割にも満《み》たない。多くの方が、「高齢者《こうれいしゃ》や障害者《しょうがいしゃ》の支援《しえん》」「環境《かんきょう》の保全《ほぜん》」「地域の安全《あんぜん》」などに挑戦《ちょうせん》したいと思っている。

私の友人である戸田市の壮年は、「わが地域《ちいき》を安心《あんしん》と安全《あんぜん》の町に変えたい」と立ち上がった。町内会《ちょうないかい》の有志《ゆうし》十二名で防犯《ぼうはん》パトロール隊《たい》を結成したのは、四年前のことである。町内の一人《ひとり》ひとりに丁寧《ていねい》に声をかけ、三十代から七十代まで、四十四名が喜んで参加するようになった。

活動を継続《けいぞく》するコツは「無理《むり》をしないこと」。一人の任務《にんむ》は週一回一時間ほどで、体調《たいちょう》や状況《じょうきょう》に合わせて、互《たが》いに支《ささ》え合っている。

この取り組みで、毎年十件もあった空《あ》き巣《す》の被害《ひがい》はゼロになった。町内の防犯意識《いしき》が向上《こうじょう》し、市内の全町会へも波動《はどう》は広がっている。

「人のために灯《あか》りをともせば、自分自身の前も明るくなる」とは、先哲《せんてつ》の至言《しげん》である。

地域を照《て》らす行動《こうどう》は、自《みずか》らの人生も充実《じゅうじつ》の光で照らす。近《ちか》しき隣人《りんじん》たちと声を交《か》わしながら、互いに生き甲斐《がい》や向上を啓発《けいはつ》し合えることは、何と心強いことだろうか。

ドイツ・フランクフルト　1994.5

つながりこそが人を強くする

とくに、少子《しょうし》・高齢《こうれい》社会にあって、励《はげ》まし合い、護《まも》り合う地域《ちいき》のネットワークは、かけがえのない宝《たから》だ。それは、災害《さいがい》など不測《ふそく》の事態《じたい》の時にも、厳然《げんぜん》と生き抜く力《ちから》を贈《おく》ってくれる。

地域への聡明《そうめい》な関《かか》わりのなかに、人生と社会を生き生きと活性化《かっせいか》させゆく源泉《げんせん》があるのだ。「足下《そっか》を掘《ほ》れ、そこに泉《いずみ》あり」である。

なかんずく、青年の力は大きい。

川越市《かわごえし》の青年団体は、誰でも身近《みぢか》にできる地域貢献《こうけん》として、缶《かん》ジュースなどの栓《せん》(プルタブ)を集《あつ》めた収益《しゅうえき》で車イスを寄贈《きぞう》した。川口《かわぐち》市、鳩ヶ谷《はとがや》市、戸田市、蕨《わらび》市の青年たちも、年一回の防犯《ぼうはん》イベントを中心に「地域の平和」を訴《うった》えている。若《わか》き発想《はっそう》と推進力《すいしんりょく》には行《い》き詰《づ》まりがない。

地域《ちいき》のつながりは、人を強くし、豊《ゆた》かにする。人間が人間らしく、胸を張《は》って、信頼《しんらい》し合える仲間《なかま》と歴史《れきし》を創《つく》りゆく舞台《ぶたい》こそ、地域である。

私が対談《たいだん》を重ねている、アルゼンチンの人権《じんけん》の闘士《とうし》エスキベル博士《はかせ》（ノーベル平和賞受賞者）は言われた。

「地域のためにできること、それはどんなことであれ、すべて人類《じんるい》全体に役立《やくだ》ちます」

我らの地域のルネサンスは、我らの地球《ちきゅう》のルネサンスへと連動《れんどう》している。

埼玉新聞　2007年7月31日

＊1　『ヴァイツゼッカー回想録』（永井清彦訳、岩波書店）を参照

地域の人生博士に学べ

はじける笑《わら》い声。友だちの名前《なまえ》を呼び、走《はし》り回《まわ》る足音《あしおと》。こぼれるような笑《え》顔《がお》――。

中米《ちゅうべい》の平和の先進国《せんしんこく》コスタリカで、ノーベル平和賞受賞者《じゅしょうしゃ》のアリアス元大《だい》統領《とうりょう》（二〇〇六年三月に再選）らをお招《まね》きし、私どもの平和展示《てんじ》「核《かく》の脅威展《きょういてん》」を開催《かいさい》した時のことだった。

国歌《こっか》の斉唱《せいしょう》で、おごそかに始まった開幕式《かいまくしき》。だが会場と壁《かべ》一つを隔《へだ》てた「子ども博物館《はくぶつかん》」では、自由奔放《ほんぽう》な声が飛《と》び交《か》っていた。

展示《てんじ》のオープンを待ちかねていた、二百五十人の小学生たちの声である。

あいさつに立った私は、申し上げた。

「にぎやかな、活気《かっき》に満《み》ちた、この声こそ、姿《すがた》こそ、平和そのものである。ここにこそ、原爆《げんばく》を抑《おさ》える力《ちから》があります。希望があります」

来賓《らいひん》の方々からも賛同《さんどう》の拍手《はくしゅ》を頂《いただ》いた。

会場は、もともと刑務所《けいむしょ》だった場所《ばしょ》である。「学校を開く者は刑務所の門《もん》を閉《と》じる」（教育の力で犯罪《はんざい》をなくす）との、文豪《ぶんごう》ユゴーの信念の叫《さけ》びが蘇《よみがえ》ってきた。

残念《ざんねん》ながら近年《きんねん》、子どもが犠牲《ぎせい》となる、あまりにも痛《いた》ましい事件《じけん》が続《つづ》いている。絶対《ぜったい》にあってはならないことが、日常的《にちじょうてき》に起こってしまう世《よ》の中になりつつある。

再発《さいはつ》を防《ふせ》ぐには、通学路《つうがくろ》など地域《ちいき》の総点検《そうてんけん》をはじめ、安全《あんぜん》教育の充実《じゅうじつ》や、防犯機器《ぼうはんきき》の携帯《けいたい》などの対策《たいさく》を進めることも急務《きゅうむ》であろう。

と同時《どうじ》に、こうした事件《じけん》が続く中で、子どもたちが大人不信《おとなふしん》、人間不信の念を強めていることを、決して忘れてはなるまい。

「心からの安心《あんしん》」なくして「健《すこ》やかな成長」はない。その安心を与《あた》えるのは、ほかならぬ私たち大人の責任《せきにん》である。

地域を〝安心〟の大地に

静岡では、そのための挑戦《ちょうせん》が意欲的《いよくてき》に行われている。代表格は、六年前（二〇〇〇年）にスタートした「地域《ちいき》の青少年声掛《か》け運動」であろう。今や、多くの人々が参加する一大県民運動《いちだいけんみん》に育ちつつあると伺《うかが》った。

〝一人《ひとり》の人間を尊重《そんちょう》する教育のためには、万人《ばんにん》が関《かか》わる必要がある〟と説《と》いたのは、アメリカの思想家《しそうか》エマソンである。

こうした社会の教育力が低下《ていか》している。その中で、「地域《ちいき》の青少年は地域で育てる」との心で、身《み》の回《まわ》りの子どもたちに積極的《せっきょくてき》に関《かか》わろうとする方々の取り組みに、希望の光を見出《みいだ》すのは、私一人《ひとり》ではあるまい。

どんな時でも、自分を受け止め、支《ささ》えてくれる心の大地を持つ人生は強い。かつて作家《さっか》の井上靖《やすし》氏と往復書簡《おうふくしょかん》を交《か》わした際《さい》、氏は少年時代を過《す》ごした伊豆《いず》や沼津《ぬまづ》の思い出を述懐《じゅっかい》しながら、故郷《こきょう》の重要性《じゅうようせい》に言及《げんきゅう》しておられた。大人《おとな》になっても胸に宿《やど》り続《つづ》ける「ふるさと」の風景《ふうけい》には、自分を見守ってくれた恩人《おんじん》たちの存在が光っているものだ。

私が対談《たいだん》を重《かさ》ねている中国の歴史《れきし》学者《がくしゃ》・章開沅《しょうかいげん》教授も、故郷の長江《ちょうこう》（揚子《ようす》江《こう》）が今の自分をつくってくれたと、懐《なつ》かしそうに語《かた》っておられた。

貧《まず》しい少年時代に、長江で一緒《いっしょ》に働《はたら》いた老船頭《ろうせんどう》から、「いかにして自分の仕事《しごと》に誇《ほこ》りを持つか」という、人生で最《もっと》も重要なことを教えられたというのである。

子ども見守る〝舵取り〟

私と同じく、戦争《せんそう》で青春を踏《ふ》みにじられた世代である。満足《まんぞく》に大学で勉強《べんきょう》することもかなわなかった。そんな中で章教授《しょうきょうじゅ》を支《ささ》えたのは、流れの険《けわ》しい長江《ちょうこう》で、来る日も来る日も、船《ふね》に乗った人々を責任《せきにん》を持って安全《あんぜん》に運《はこ》び続《つづ》けた老舵取《ろうかじと》りの生きざまであった。

「なんの名誉も立場《たちば》もない、一人《ひとり》の老舵取りですが、彼は、私の一生《いっしょう》において、大切《たいせつ》な大切な先生です。あの老舵取りは、私の〝人生の博士号《はかせごう》〟の先生でした」

通《とお》り一遍《いっぺん》の知識《ちしき》の伝達《でんたつ》が人間をつくるのではない。頭《こうべ》をあげ、胸を張《は》って、人々のために真剣《しんけん》に生き抜く姿《すがた》を示してこそ、若《わか》き魂《たましい》を深く啓発《けいはつ》することができるのであろう。

思うに、地域《ちいき》も〝一艘《いっそう》の船〟に似《に》ている。社会の荒波《あらなみ》に激《はげ》しく揺《ゆ》り動かされながらも、一緒《いっしょ》に乗り合わせた人々が、無事《ぶじ》、それぞれの目的地へたどりつけるよう、皆を励《はげ》まし、心を配《くば》り続《つづ》ける舵取《かじと》りの存在が欠《か》かせない。

明年《みょうねん》（二〇〇七年）は、井上靖《やすし》氏の生誕《せいたん》百周年。氏が、こう綴《つづ》っておられたことが思い起こされる。

――自分《じぶん》の若《わか》い頃《ころ》と現代の若者《わかもの》たちが、さほど違《ちが》っているとは思わない。与《あた》えられた生命を価値《かち》あることに捧《ささ》げ、燃焼《ねんしょう》させたいという情熱《じょうねつ》に駆《か》られているのも同じだろう。「ただ違うところは、それが野放《のばな》しに置《お》かれていなかっただけ」である、と。

一言《ひとこと》でもいい。自分のことを気にかけてくれる人の真心《まごころ》の言葉には、万鈞《ばんきん》の重《おも》みがある。子どもたちの笑顔《えがお》こそ、我らの「最高の勲章《くんしょう》」――そんな地域社会をつくりゆく努力《どりょく》こそ、今の日本に必要ではないだろうか。

静岡新聞　２００６年４月９日

隣人も地球も　わがファミリー

「人類《じんるい》に必要なのは『同苦《どうく》する心』です。世界のどこであれ、残虐《ざんぎゃく》な行為《こうい》、悲《かな》しい出来事《できごと》を見たならば、『もしかしたら、自分が、そういう被害者《ひがいしゃ》になったかもしれない』と、人が人を思いやる心です」

インドの哲人《てつじん》指導者ナラヤナン元大統領《もとだいとうりょう》の忘れ得ぬ言葉である。

そうした「同苦の心」「思いやりの心」をもった人間を育てる教育を大切《たいせつ》にしたいとの信条《しんじょう》を、元大統領は強く訴《うった》えておられた。

昨年《さくねん》（二〇〇四年）の十月、東京で再会《さいかい》した折《おり》には、インド、中国、東南アジアの国々、そして日本が、一段《いちだん》と友好を広げ、協力《きょうりょく》関係を強化《きょうか》していくビジョンについても語《かた》り合った。

このたびのスマトラ沖大地震《おきおおじしん》と大津波《おおつなみ》（二〇〇四年十二月）の深刻《しんこく》な惨禍《さんか》に、救援《きゅうえん》・復旧《ふっきゅう》が急がれるなかで、元大統領《もとだいとうりょう》との語らいが、痛切《つうせつ》に思い返される。

日本でも昨年は、台風《たいふう》と地震とで、多くの地域《ちいき》が甚大《じんだい》な被害《ひがい》を受けた。被《ひ》災者《さいしゃ》の皆様《みなさま》には、改《あらた》めて心からのお見舞《みま》いを申し上げるとともに、一日も早《はや》い復興《ふっこう》をお祈り申し上げたい。

災害《さいがい》のつど痛感《つうかん》されるのは、現代社会で見過《みす》ごされてきた「近隣《きんりん》」「地域」という絆《きずな》の尊《とうと》さである。

新潟《にいがた》県中越《ちゅうえつ》地震（二〇〇四年十月）に際《さい》しても、余震《よしん》が続《つづ》く恐怖《きょうふ》のなかで、互《たが》いに助《たす》け合い、互いに励《はげ》まし合う「ふるさと」の底力《そこぢから》が発揮《はっき》された。

十年前（一九九五年）の阪神《はんしん》・淡路大震災《あわじだいしんさい》でも、どこの家はどういう家族《かぞく》構成《こうせい》かなどを知り合った、お母さん方のネットワークと情報《じょうほう》が、いち早《はや》い救出《きゅうしゅつ》につながった例が少なくなかったという。

その一方《いっぽう》で、復興住宅《ふっこうじゅうたく》で、高齢《こうれい》の独居入居者《どっきょにゅうきょしゃ》の孤独死《こどくし》や自殺《じさつ》があった、などの報道《ほうどう》に接《せっ》すると、胸が塞《ふさ》がる思いにかられる。

地道《じみち》な地域《ちいき》の交流《こうりゅう》が、いかに生命の安全地帯《あんぜんちたい》を築《きず》き上げていくことか。

二十世紀を代表する歴史学者《れきしがくしゃ》トインビー博士《はかせ》は、私との対談《たいだん》のなかで、「ビルの高層化《こうそうか》」と「巨大《きょだい》なアパート群《ぐん》」における人間疎外《そがい》を憂慮《ゆうりょ》して、「互《たが》いに物理的《ぶつりてき》な意味での隣人《りんじん》でしかない」と述べておられた。一九七〇年代の指摘《してき》だが、今日《こんにち》の状況《じょうきょう》を驚《おどろ》くほど言い当てている。

近年《きんねん》、ＩＴ革命《かくめい》とグローバル化の急速《きゅうそく》な進行《しんこう》によって、「顔の見えないコミュニティー（共同体《きょうどうたい》）」に拍車《はくしゃ》がかけられている。だからこそ、いよいよ心と心の結合《けつごう》が求められ、地域共同体《ちいききょうどうたい》における「連帯《れんたい》」「相互扶助《そうごふじょ》」の重《おも》みが増《ま》してきたといってよい。

力《ちから》を合わせ助け合うことは、国際《こくさい》社会にあっても、ますます重要《じゅうよう》である。スマトラ沖大地震《おきおおじしん》・大津波《おおつなみ》の復興支援《ふっこうしえん》も、国連《こくれん》を中心として、進められている。

二〇〇〇年の春三月、フィリピンのラモス元大統領《もとだいとうりょう》と五度目の会談《かいだん》をした際《さい》、「二十一世紀の国連に必要なこと」として、三つの要件《ようけん》を挙《あ》げておられたことを、私は思い出す。

それは――

一、ケアリング（他者《たしゃ》を世話《せわ》する）

一、シェアリング（他者と分《わ》かち合う）

一、デアリング（他者のために勇気《ゆうき》をもって挑戦《ちょうせん》する）

この三つの言葉は、アメリカで歌にもなっていると、口ずさまれた笑顔《えがお》が懐《なつ》かしい。

とくに元大統領《もとだいとうりょう》は、「変革《へんかく》への勇気《ゆうき》」「自分をなげうってでもという勇気」を強調《きょうちょう》され、「勇敢《ゆうかん》に行動《こうどう》する人」とは「常に他者《たしゃ》に何かを与《あた》えることを考える人」と言われていた。

近隣《きんりん》にあっても、世界にあっても、絶対《ぜったい》に不可欠《ふかけつ》な、他者への「世話《せわ》」や「分《わ》かち合い」の心、そして「献身《けんしん》の勇気」が、最《もっと》も深く育《はぐく》まれていく源泉《げんせん》は、いずこにあるのか。

それは、コミュニティーを構成《こうせい》する基本的《きほんてき》な単位《たんい》である「家庭《かてい》」ではないだろうか。

そもそも「家」を意味するギリシャ語「オイコス」は、「経済《けいざい》（エコノミー）」「生態系《せいたいけい》（エコロジー）」という言葉の語源《ごげん》とされる。いずれも開かれた世界性、普遍性《ふへんせい》を含意《がんい》する言葉であることが、興味《きょうみ》深い。

いうなれば、地域全体も、そしてまた地球全体も、一つの大きな「家」で

フィリピン・マニラ　1998.2

ある。

健全な共生のための3つのルール

私が創立《そうりつ》した平和研究機関《けんきゅうきかん》「ボストン二十一世紀センター」発刊《はっかん》の『貪《むさぼ》りの克服《こくふく》』は、アメリカ各地の大学で教材《きょうざい》として使われているが、そのなかの一つの論文《ろんぶん》が、健全《けんぜん》な「家」における共生《きょうせい》のルールを挙《あ》げていた。*1

すなわち――

「自分の取り分《ぶん》は、自分に必要《ひつよう》な分だけにする」「整理《せいり》・整頓《せいとん》を心がける」そして、「将来《しょうらい》の居住者《きょじゅうしゃ》（子孫《しそん》たち）のために、修繕《しゅうぜん》を怠《おこた》らない」という点である。

いずれも、かけがえのない我が家を守り、栄《さか》えさせていくために大切《たいせつ》な項目《こうもく》である。とともに家庭《かてい》で学ぶべき、この基本的《きほんてき》ルールは、大きな次元《じげん》から見れば「平等《びょうどう》・公正《こうせい》」、また「秩序《ちつじょ》・良俗《りょうぞく》」、そして「持続《じぞく》・再生《さいせい》」と言い換《か》えることができよう。

世界を脅《おびや》かす貧富《ひんぷ》の格差《かくさ》、紛争《ふんそう》やテロ、環境破壊《かんきょうはかい》、資源問題《しげんもんだい》などのグローバルな諸問題は、この三つのルールを破《やぶ》ったものとも捉《とら》えられる。残念《ざんねん》ながら、日本では、昨今《さっこん》、「秩序・良俗」の破壊という治安《ちあん》の悪化《あっか》や「持続・再生」の危機《きき》でもある青少年の犯罪《はんざい》が深く憂慮《ゆうりょ》されている。

全宇宙《ぜんうちゅう》の宝《たから》を集《あつ》めたよりも尊《とうと》い、一人《ひとり》ひとりの生命である。断《だん》じて奪《うば》われてはならない。断じて奪わせてもならない。

こと生命の尊厳《そんげん》、人間の権利《けんり》に関《かか》わる問題については、真剣《しんけん》に厳正《げんせい》に取り組むべきである。悪《あく》を放置《ほうち》することは、絶対《ぜったい》に許《ゆる》されない。

「賢人《けんじん》は、安全《あんぜん》な所にいても、危険《きけん》に備《そな》える。愚人《ぐにん》は、危険な所にいても、気づかない」とは、先哲《せんてつ》の戒《いまし》めである。

いざという時の助《たす》け合い、守《まも》り合いとともに、防災《ぼうさい》の備《そな》えや事件《じけん》・事故《じこ》の予防《よぼう》のためにも、ふだんから、わが地域《ちいき》の人間の連帯《れんたい》を強め広げていくことが、不可欠《ふかけつ》となっている。向こう三軒両隣《さんげんりょうどなり》の清々《すがすが》しい挨拶《あいさつ》から出発して、地域を日常的に「顔が見える」場として活性化《かっせいか》していきたいものである。

なかんずく、子どもたちは地域全体の大切《たいせつ》な宝《たから》である。さらにまた、お年《とし》寄《よ》りや病気の方々などに声をかけ、気を配《くば》っていく地域ぐるみのケアが、目には見えなくとも、災害《さいがい》に強い町《まち》づくりの堅固《けんご》な力《ちから》となろう。

「地域家族《かぞく》」も、そして「地球《ちきゅう》家族」も、ともに「共生《きょうせい》」「サポート」の場として、人間の絆《きずな》の深化《しんか》・拡大《かくだい》が求《もと》められている。

地域貢献《こうけん》に生き生きと活躍《かつやく》するあるお母さんが語《かた》っておられた言葉が、私《わたし》の胸に蘇《よみがえ》る。

「勇気《ゆうき》をもって一言《ひとこと》をかけることから、いくらでも良《よ》き友だちを、つくれます」

一九九九年、アメリカのデンバー市の郊外《こうがい》で、二人《ふたり》の高校生《こうこうせい》が学校で銃《じゅう》を乱射《らんしゃ》するという事件《じけん》が起きた。十三人を殺害《さつがい》し、自分たちも自殺《じさつ》した、あまりにも痛《いた》ましい惨劇《さんげき》であった。

その言いしれぬ衝撃《しょうげき》を乗り越えながら、この地では、全市《ぜんし》をあげて教育の改革《かいかく》に取り組んでいった。私のよく知るデンバー大学の女性理事《りじ》は、市長《しちょう》の教育特別顧問《こもん》に任命《にんめい》され、改革の先頭《せんとう》に立って行動《こうどう》を開始《かいし》した。

まず、市内《しない》で最《もっと》も荒《あ》れていると言われてきた中学校《ちゅうがっこう》で、週末《しゅうまつ》、ボランティアの市民《しみん》が、生徒《せいと》との交流学習《こうりゅうがくしゅう》を始めた。市長《しちょう》をはじめ百人の有志《ゆうし》が、生徒《せいと》と一対一で共に学んでいったのである。

有意義《ゆういぎ》な放課後《ほうかご》を過《す》ごせるように、課外《かがい》活動のプログラムや施設《しせつ》も拡充《かくじゅう》させた。それは、まことに地味《じみ》な取り組みに見えた。なかには、彼女に悪意《あくい》の中傷《ちゅうしょう》を浴《あ》びせる人々もいたようだ。

しかし、彼女に迷《まよ》いはなかった。メキシコからの移民《いみん》として苦労《くろう》した少女時代の体験の上から、また児童心理学《じどうしんりがく》の探究《たんきゅう》の上から、そして子どもたちのために全力《ぜんりょく》で尽《つ》くしてきた実績《じっせき》の上から、揺《ゆ》るぎない確信《かくしん》があった。

――子どもは、みんな可能性《かのうせい》をもっている。誰《だれ》でも、自分のなかにある可能性を、最高《さいこう》に引き出し輝《かがや》かせていくことができる。そのことに気づかせてあげるのが、大人《おとな》たちの励《はげ》ましである。その子を信じて、勇気《ゆうき》づけていくことが、最《もっと》も大切《たいせつ》なのだ、と。

この粘《ねば》り強い献身《けんしん》のなかで、自信《じしん》と希望に輝く生徒《せいと》たちの笑顔《えがお》が戻《もど》ってきた。その中学校《ちゅうがっこう》は見事《みごと》に再生《さいせい》し、さらに十校、二十校へと波動《はどう》が広がっていったのである。そして今、地域《ちいき》全体の努力《どりょく》が結実《けつじつ》し、青少年の犯罪《はんざい》は大きく減少《げんしょう》を見せているという。彼女は呼《よ》びかけている。

「まず、私たち自身が変わっていくこと」「地域の子どもたちの名前《なまえ》を覚《おぼ》え、道や町《まち》で会ったら、挨拶《あいさつ》を交《か》わすこと」「常に、子どもたちの眼差《まなざ》しに応《こた》えゆく、誠実《せいじつ》な振《ふ》る舞《ま》いを心がけていくこと」である。

「子どもたちの幸福のために！」「青年たちの未来《みらい》のために！」――この大目的に立って、地域《ちいき》の皆が心を合わせ、力《ちから》を合わせていくとき、社会は大きく変わり始める。むしろ大人《おとな》のほうが、青少年から触発《しょくはつ》され、教えられていくことも、実に多い。

私は、かねてより「社会のための教育」ではなくして「教育のための社会」への大転換《だいてんかん》を提唱《ていしょう》してきた。そこに、二十一世紀を生きゆく人類《じんるい》の希望を見いだすからである。

家庭、地域社会こそ平和の出発点

人類の教師・釈尊《しゃくそん》は、共同体《きょうどうたい》を栄《さか》えさせていくための四つの徳目《とくもく》を説《と》いている。*2

第一は「布施《ふせ》」。人に何かを与《あた》えゆくことである。なかんずく励《はげ》ましや哲《てつ》学《がく》など、心の滋養《じよう》を贈《おく》ることである。

お金には限《かぎ》りがある。しかし、希望や智慧《ちえ》は尽《つ》きることがない。その人の不安《ふあん》や恐《おそ》れを取り除《のぞ》き、勇気《ゆうき》を奮《ふる》い起こさせることだ。

第二は「愛語《あいご》」。思いやりと慈愛《じあい》のある言葉をかけ、朗《ほが》らかに対話《たいわ》していくことである。

第三は「利行《りぎょう》」。人びとのために行動《こうどう》することである。

第四は「同事《どうじ》」。人びとの中に入って共に働《はたら》くことである。

こうした姿《すがた》を、大人《おとな》が責任《せきにん》をもって示していくことこそ、次の世代への最《さい》良《りょう》の贈《おく》り物《もの》となろう。その積《つ》み重ねのなかでこそ、ナラヤナン元大統領《もとだいとうりょう》が力《りき》説《せつ》されていた「同苦《どうく》する心」「人が人を思いやる心」も育《はぐく》まれ、社会に深く根《ね》づいていくに違《ちが》いない。

私が対談《たいだん》を重ねてきた、アメリカの「平和の文化の母」、エーリス・ボールディング博士《はかせ》も、しみじみと語《かた》っておられた。

「平和は、単《たん》に危機《きき》に対処《たいしょ》するだけではなく、お互《たが》いが日常的《にちじょうてき》に助《たす》け合うなかにあります。家庭《かてい》、そして地域《ちいき》社会こそが、極《きわ》めて重要《じゅうよう》な平和の出発点《しゅっぱってん》なのです」「共同体を構成《こうせい》する一人《ひとり》ひとりの成長に全力《ぜんりょく》を傾注《けいちゅう》していく以外《いがい》に、平和で健全《けんぜん》な地球《ちきゅう》の未来《みらい》は見えてきません」と。

「人と人との結合《けつごう》を心と心の結合に」*3「力《ちから》がないところには繁栄《はんえい》がなく、力は結合以外《いがい》によっては得られない」*4とインドの詩人《しじん》タゴールは謳《うた》った。

埼玉県は、人口《じんこう》の増加《ぞうか》も目覚《めざ》ましい。一九九〇年代、県北《けんほく》の南河原村《みなみかわら》(現・行田市《ぎょうだ》)でも、転居《てんきょ》してくる人が増《ふ》え、新旧住民《しんきゅうじゅうみん》の融和《ゆうわ》が大きな課題《かだい》となったという。

そのなかで、麗《うるわ》しい友好と信頼《しんらい》の輪《わ》を広げてこられた地域のリーダーの方が語《かた》られていたポイントが、私の心に残《のこ》っている。

一、良き友人を増《ふ》やすという情熱《じょうねつ》
一、心の垣根《かきね》を取り払《はら》う努力《どりょく》
一、新しい青年の力を引き出す面倒見《めんどうみ》の良さ

とりわけ、人間共和《きょうわ》の創造的《そうぞうてき》な地域《ちいき》社会を建設《けんせつ》していくために、焦点《しょうてん》は青年である。団体であれ、地域であれ、青年を大切《たいせつ》にし、青年を伸《の》ばしたところが勝つ。これが歴史《れきし》の鉄則《てっそく》である。

昨年（二〇〇四年）の秋も、埼玉で「彩《さい》の国まごころ国体《こくたい》」が開催《かいさい》され、県内《けんない》の多くの青年たちが溌剌《はつらつ》たる力を堂々《どうどう》と発揮《はっき》した。

ちょうど二十年前、中国の敦煌研究院《とんこうけんきゅういん》の常書鴻《じょうしょこう》名誉院長《いんちょう》と御一緒《ごいっしょ》に、埼玉の青年による平和と文化の祭典《さいてん》を見守ったことがある。

人生を捧《ささ》げてシルクロードの美《び》の宝庫《ほうこ》を護《まも》り抜《ぬ》いてこられた常先生は、敦煌の文物《ぶんぶつ》を「静《せい》の美」とするならば、炎《ほのお》の如《ごと》き情熱《じょうねつ》に燃《も》える埼玉の若人《わこうど》の乱舞《らんぶ》は「動《どう》の美」であると感嘆《かんたん》され、終生《しゅうせい》、語《かた》り草《ぐさ》にしておられた。

東京　2006.5

「町《まち》づくり」は「人づくり」「心づくり」「ふるさとづくり」である。新たな歴史《れきし》の潮流《ちょうりゅう》を起こしゆく、この「希望の年」――。若々しいエネルギーにみなぎり、多様《たよう》な自然と歴史文化に彩《いろど》られる埼玉の町や村から、「人」と「心」のネットワークづくりのモデルが、世界に発信《はっしん》されゆくにちがいない。

埼玉新聞　２００５年１月25日

＊1　Sallie McFague, "God's Household: Christianity, Economics, and Planetary Living" *Subverting Greed*, edited by Paul F. Knitter and Chandra Muzaffar, Boston Research Center for the 21st Century, Orbis Books.
＊2　大宝積経巻第五十四の「四摂之法」（『大正新修大蔵経11』）など
＊3　『タゴール著作集10』（第三文明社）所収「自伝的エッセイ」（我妻和男訳）
＊4　『タゴール著作集8』（第三文明社）所収「社会編Ⅰ　議長あいさつ」（蛯原徳夫訳）

III

教育・文化・芸術

「教育のための社会」へ

春四月、伸《の》びゆく若《わか》き生命が、進級《しんきゅう》や進学《しんがく》、就職《しゅうしょく》と、新しい門出《かどで》を迎《むか》えている。

私は折《おり》にふれ、青年たちへ、自分が撮《と》った富士山の写真《しゃしん》に句《く》を添《そ》えて贈《おく》ってきた。富士の雄姿《ゆうし》は、万言《まんげん》を尽《つ》くすよりも深《ふか》く思いを伝《つた》えてくれるからだ。

「風雪《ふうせつ》を　笑《わら》い飛《と》ばさむ　富士の山」

「わが人生　不動《ふどう》の富士が　わが信念」

時々刻々《じじこっこく》と変動《へんどう》する現代である。だからこそ、青年たちには、富士の如《ごと》く揺《ゆ》るぎない人格《じんかく》を鍛《きた》え上げてほしい。そのためにも、大人《おとな》たちには確固《かっこ》たる「人生の哲学《てつがく》」を示すことが求められる。

「思いやりの心」はぐくむ

「子どもに、どんな人間になってもらいたいか」

こう質問《しつもん》されたら、どう答えるか。

「もし息子《むすこ》たちが、不幸《ふこう》な人たちの力《ちから》になっていなければ、彼らがどんな立派《りっぱ》な社会的立場にあろうとも、父である私にとっては、悲《かな》しむべきことです」

こう語《かた》っていたのは、ハーバード大学名誉教授《きょうじゅ》のガルブレイス博士《はかせ》である。博士とは、日本で、ボストン近郊《きんこう》のご自宅《じたく》で、幾《いく》たびとなく論《ろん》じ合った。

昨年《さくねん》（二〇〇五年）は、対談集《たいだんしゅう》（『人間主義《しゅぎ》の大世紀を』）も発刊《はっかん》した。

ガルブレイス博士《はかせ》は、世界で最《もっと》も名高《なだか》い経済学者《けいざいがくしゃ》の一人《ひとり》である。その三人のご子息《しそく》も、弁護士《べんごし》、大学教授《きょうじゅ》、そして経済学者と、いずれも立派《りっぱ》に活躍《かつやく》されている。

だが博士は、「社会的に成功《せいこう》しているかどうか」より、「不幸《ふこう》な人たちの力《ちから》になっているかどうか」のほうが大事だというのである。人間教育を考える上で、重要《じゅうよう》な信条《しんじょう》だと思う。

裕福《ゆうふく》になってほしい。偉《えら》くもなってほしい。そう思うのは、当然《とうぜん》の親心《おやごころ》であろう。しかし、いくら財産《ざいさん》を手に入れ、高《たか》い地位《ちい》についても、「人のために役立《やくだ》とう」という心の光がなければ、人間として真《しん》の輝《かがや》きはない。

一時《いちじ》の風に高く舞《ま》い上がっても、糸《いと》の切《き》れた凧《たこ》のように無軌道《むきどう》に漂《ただよ》い、最後《さいご》に墜落《ついらく》してしまう人生であっては、あまりにも無惨《むざん》だ。

博士は、こうも言っておられた。

「文明社会にとって、最《もっと》も大切《たいせつ》なものは何か。それは他《た》の人々、そして人《じん》類《るい》全体に対して〝深い思いやり〟を持つ人間の存在です」

学は光　知は力

今、各地《かくち》で次代《じだい》を担《にな》う「人づくり」に、官民《かんみん》あげて積極的《せっきょくてき》に取り組んでいる。教育改革《かいかく》を進める最前線《さいぜんせん》の先生方の御苦労《ごくろう》も並大抵《なみたいてい》ではない。社会全体が、教育の現場《げんば》にエールを送るべきだ。

発想《はっそう》の基軸《きじく》を、「社会のための教育」から、「教育のための社会」へと、大きく転換《てんかん》していく必要があるのではないだろうか。

浜松《はままつ》で日本語ボランティアとして社会に貢献《こうけん》する、あるご婦人の健闘《けんとう》を伺《うかが》った。

この女性のお父さまは、第二次世界大戦中《たいせんちゅう》、韓国《かんこく》から強制労働《きょうせいろうどう》のため、日本に連《つ》れてこられ、戦後《せんご》も筆舌《ひつぜつ》に尽《つ》くせぬ苦労《くろう》をされた。日本語のわからない父がじっとテレビを見ていた姿《すがた》が、目に焼《や》き付《つ》いて離《はな》れないという。

この女性が、ある日、浜松《はままつ》に移住《いじゅう》してきた日系《にっけい》ブラジル人の母親から「ここに書いてある内容《ないよう》を教えてほしい」と一枚《いちまい》の紙《かみ》を見せられた。小学校《しょうがっこう》から父母への印刷物《いんさつぶつ》だった。何が書かれているかわからず、困《こま》っていたのだ。

これがきっかけとなって、彼女は日本語教師の勉強《べんきょう》に励《はげ》み、大学の通信《つうしん》教育部で日本語教員養成講座《ようせいこうざ》も受講《じゅこう》した。そして今、多くの外国人《がいこくじん》の方々のために日本語を教えるほか、生涯学習《しょうがいがくしゅう》や国際交流《こくさいこうりゅう》の推進《すいしん》のために、懸命《けんめい》に尽力《じんりょく》されている。

まさしく、「学は光」「知《ち》は力《ちから》」である。

ガルブレイス博士《はかせ》が師と仰《あお》いだ大学者マーシャルが「冷静《れいせい》な頭脳《ずのう》と温《あたた》かい心を持て！」と教えていたことが、思い起こされる。

人を思いやる「慈愛《じあい》」と、苦難《くなん》に立ち向かう「勇気《ゆうき》」があるところに、「智《ち》慧《え》」は生き生きと湧《わ》いてくる。

「格差社会《かくさしゃかい》」と言われる。華《はな》やかな光を浴《あ》び、巨万《きょまん》の富《とみ》をもつ人々がいる一方《いっぽう》で、厳《きび》しい生活を強《し》いられている人々がいる。世界に目を転《てん》ずれば、貧困《ひんこん》や紛争《ふんそう》は後《あと》を絶《た》たない。

何のために学ぶのか？　その大きな目的《もくてき》の一つは、勉強《べんきょう》したくてもできないような過酷《かこく》な環境《かんきょう》で生きる人々のために、奉仕《ほうし》しゆく力《ちから》をつけるためだ。大学は、大学に行けなかった人々に尽《つ》くすためにこそある。

私は、そう青年たちに語《かた》りかけている。

静岡新聞　2006年4月7日

「芸術」の力——人間精神の大いなる滋養

「舞台《ぶたい》での三分間の演技《えんぎ》は、舞台裏《うら》での三年間の努力《どりょく》によって支《ささ》えられる」中国の「京劇《きょうげき》」の世界で語《かた》られる言葉である。

その鍛《きた》え抜《ぬ》かれた「中国京劇院」の方々を、私の創立《そうりつ》した民主音楽協会《きょうかい》が招《しょう》へいしたのは、昨年《さくねん》（二〇〇六年）の夏であった。全国各地《かくち》で、「三国志《さんごくし》」の英雄《えいゆう》・諸葛孔明《しょかつこうめい》の心を謳《うた》う熱演《ねつえん》が感銘《かんめい》を広げた。

芸術《げいじゅつ》は、一部のお金持ちの装飾品《そうしょくひん》でもなければ、贅沢品《ぜいたくひん》でもない。万人《ばんにん》に開かれた宝《たから》である。

音楽、絵画《かいが》、詩《し》、舞踏《ぶとう》など――ジャンルを問わず、芸術家の魂《たましい》の格闘《かくとう》の結《けっ》晶《しょう》との交流《こうりゅう》は、人間の価値《かち》や可能性《かのうせい》、生命の尊厳《そんげん》を再発見《さいはっけん》させてくれる。

とりわけ、それは、子どもたちの心の調和《ちょうわ》ある成長、全体的な人間形成《けいせい》のために、不可欠《ふかけつ》だ。

芸術は、人間の精神の大いなる滋養《じよう》である。

「いじめ」の問題《もんだい》、また殺伐《さつばつ》とした事件《じけん》などが、暗《くら》く渦巻《うずま》く時代である。だからこそ、若《わか》き命《いのち》に、真《しん》の芸術との触《ふ》れ合いを通《とお》して、「生きる喜び」「生き抜く力」を晴《は》れ晴《ば》れと贈《おく》りたいものだ。

私も青春《せいしゅん》時代、手回《てまわ》しの蓄音機《ちくおんき》で聴《き》いたベートーベンの名曲《めいきょく》に、どれほど疲《つか》れた心を癒《いや》し、試練《しれん》に立ち向かう勇気《ゆうき》を得たことだろう。

「芸術《げいじゅつ》は、あらゆる人々を結合《けつごう》させます[*1]」とは、ベートーベンの叫《さけ》びであった。

芸術は、人間を結び、世界を結ぶ。美しい花に国境《こっきょう》はないように、芸術にも国境はない。あらゆる障壁《しょうへき》を超《こ》え、異《こと》なる文化の豊《ゆた》かさや美《び》に目を開かせながら、地球大《ちきゅうだい》の友情を広げる。

二〇〇一年の九月十一日。アメリカでの同時多発《どうじたはつ》テロが、世界中を、震撼《しんかん》させた。

この時、私どもの東京富士美術館では、翌月に開幕《かいまく》する「女性美の五百年」展の準備《じゅんび》に追われていた。

〝ロシアのモナリザ〟と呼ばれる名画《めいが》「見知らぬ女」(トレチャコフ美術館蔵)をはじめ、世界五十四の美術館の代表作が一堂《いちどう》に会《かい》することになっていた。

しかし、テロの余波《よは》で「作品《さくひん》を飛行機《ひこうき》で運《はこ》ぶのは危険《きけん》だ」との声も上がった。開幕《かいまく》一カ月前である。船便《ふなびん》では間《ま》に合わない。

フランス・ロワール　1973.5

その不安《ふあん》を一掃《いっそう》したのは、芸術《げいじゅつ》の力《ちから》を信ずる各国《かっこく》美術館スタッフの連帯《れんたい》であった。オーストリアの宮廷家具《きゅうていかぐ》博物館《はくぶつかん》のパレンツァン館長《かんちょう》は、「私たちが希望を捨《す》てることは許《ゆる》されないのです。芸術の交流以外《こうりゅういがい》に、いかなる選択肢《せんたくし》があるでしょうか！」と力強い声を寄《よ》せてくださった。

展覧会《てんらんかい》は予定通《どお》り開催《かいさい》され、いかなる野蛮《やばん》な暴力《ぼうりょく》にも屈《くつ》しない「文化の力」の深さと強さを清々《すがすが》しく示したのである。

芸術が未来を創る

戦争中《せんそうちゅう》、日本の軍部権力《ぐんぶけんりょく》と戦《たたか》い、獄死《ごくし》した信念の大教育者は、厳然《げんぜん》と言い放《はな》った。

①「利《り》」の価値《かち》（広い意味での利益《りえき》の追求《ついきゅう》）
②「善《ぜん》」の価値（不正《ふせい》に対する正義《せいぎ》の追求）

③「美」の価値《かち》（芸術《げいじゅつ》・文化の追求《ついきゅう》）
この三つが揃《そろ》って人間の真《しん》の幸福がある、と。

芸術は、人を創《つく》り、社会を創り、未来《みらい》を創る。

私は、「世紀のバイオリニスト」メニューイン氏の言葉を忘れることができない。

「昼間《ひるま》、町《まち》を掃除《そうじ》する人々が、夜《よる》には四重奏《しじゅうそう》を演奏《えんそう》する。それが私たちの目指す世界です」

埼玉新聞　2007年1月23日

＊1　ロマン・ロラン著『ベートーヴェンの生涯』（片山敏彦訳、岩波文庫）

未来を開く「活字文化のルネサンス」

「活字《かつじ》文化は社会の光である」

フランスの文豪《ぶんごう》ビクトル・ユゴーの宣言《せんげん》である。信念の言論《げんろん》を貫《つらぬ》いたゆえに、ユゴーは迫害《はくがい》の連続《れんぞく》であった。受難《じゅなん》の亡命先《ぼうめいさき》で傑作《けっさく》『レ・ミゼラブル』を仕上《しあ》げる。

一八六二年、その出版《しゅっぱん》記念会で、ヨーロッパの知性《ちせい》を前に、彼は「活字文化がなければ漆黒《しっこく》の闇《やみ》は続く」と叫《さけ》んだのである。*1

ユゴーは、遠《とお》く二十一世紀の人類《じんるい》にも届《とど》けとばかりに作品《さくひん》を遺《のこ》したといわれる。その感動《かんどう》の名作《めいさく》の生命力は、今もって衰《おとろ》えることはない。

残念《ざんねん》ながら、近年《きんねん》、こうしたスケールの大きな古今東西《ここんとうざい》の名著《めいちょ》に触《ふ》れる機《き》会《かい》が、社会全体で減《へ》ってきているようだ。本だけではない。新聞や雑誌《ざっし》も含《ふく》めて、いわゆる〝活字離《かつじばな》れ〟が深刻《しんこく》である。

「本が読まれない」「本が売《う》れない」という活字文化の危機《きき》のなかで、教育界でも、出版界《しゅっぱんかい》でも、真剣《しんけん》な努力《どりょく》が粘《ねば》り強く積《つ》み重《かさ》ねられている。

とくに、青少年の〝活字離れ〟に歯止《はど》めをかける希望の取り組みとして定《てい》着《ちゃく》してきたのが、学校《がっこう》現場での読書《どくしょ》活動である。

その淵源《えんげん》は、どこにあったのか。千葉県の高校《こうこう》で二十年前に始まった「朝の十分間読書運動」にあることは、誇《ほこ》り高き歴史《れきし》である。

それは、現場発の教育改善《かいぜん》として大きな共感《きょうかん》を広げ、趣旨《しゅし》に賛同《さんどう》する学校が瞬《またた》く間《ま》に全国で増《ふ》えていった。今や、全校一斉《ぜんこういっせい》の読書《どくしょ》活動を行う公立《こうりつ》小学校《しょうがっこう》は九割《わり》、公立中学校《ちゅうがっこう》も八割を超《こ》えている。

その進展《しんてん》に伴《ともな》い、各学校の図書館《としょかん》の整備《せいび》が進み、一校あたりの蔵書数《ぞうしょすう》も増《ぞう》加《か》傾向《けいこう》にあるという。「活字《かつじ》文化」の裾野《すその》を広げる意味でも、喜ばしいことだ。千葉で踏《ふ》み出された最初《さいしょ》の貴重《きちょう》な一歩に、感謝《かんしゃ》は尽《つ》きない。

最新《さいしん》の学校読書調査《ちょうさ》でも、小学生が一カ月で読んだ本の平均冊数《へいきんさつすう》は「九・七冊」であり、過去最高となった。ただし、その一方《いっぽう》で成長の年齢《ねんれい》とともに読書から離《はな》れる傾向《けいこう》も見られ、いかに習慣《しゅうかん》づけていくかが課題《かだい》となっている。

読書は最も価値ある喜び

若《わか》き日に、「青春《せいしゅん》の一書《いっしょ》」と呼《よ》べる良書《りょうしょ》に出合えた人生は幸《しあわ》せである。

私の場合《ばあい》、その中の一冊《いっさつ》が、銚子《ちょうし》で生まれた文人《ぶんじん》、国木田独歩《くにきだどっぽ》の『欺《あざむ》かざるの記』であった。本を手にしたのは、十八か十九歳《さい》の頃《ころ》だったと思う。残《ざん》酷《こく》な戦争《せんそう》が終《お》わって、ようやく自由に本が読める時代となり、私の心は高揚《こうよう》していた。

薄給《はっきゅう》をやりくりして蓄《たくわ》えた小遣《こづか》いを持って、神田《かんだ》の古本屋《ふるほんや》街《がい》に飛《と》んでいき、望《のぞ》みの本を見つけては、はやる心を抑《おさ》えて家路《いえじ》を急《いそ》いだ。

寝《ね》る間《ま》も惜《お》しんで、一ページ、また一ページと噛《か》みしめるように読み進め、感銘《かんめい》する言葉を見つけるたびに、ワラ半紙《ばんし》の雑記帳《ざつきちょう》に書き写《うつ》したことを、懐《なつ》かしく思い出す。

大好きな本を書き写す時は、長い引用《いんよう》も苦《く》にならなかった。『欺《あざむ》かざるの記』も、その一つである。

明治の開明期《かいめいき》に、苦労《くろう》してジャーナリストを志《こころざ》した独歩《どっぽ》。彼の青春《せいしゅん》の苦闘《くとう》に、私も「新聞記者《きしゃ》になりたい」という自《みずか》らの夢《ゆめ》を投影《とうえい》していた。

独歩自身、大変な読書家《どくしょか》であった。これはと思う書物《しょもつ》は、繰《く》り返し熟読《じゅくどく》し、核心《かくしん》に迫《せま》ろうとする努力《どりょく》には、すさまじいものがあったという。

感動《かんどう》した名言名句《めいげんめいく》は必《かなら》ず書き写《うつ》し、時にはその言葉を壁《かべ》に掲《かか》げ、人生の指針《しし ん》とした。まさに独歩《どっぽ》にとって、読書《どくしょ》は精神の格闘《かくとう》にほかならず、真剣勝負《しんけんしょうぶ》そのものであったといってよい。

読書の領域《りょういき》も、非常《ひじょう》に幅《はば》広い。カーライルの『英雄崇拝論《えいゆうすうはいろん》』や、ワーズワースやバイロンの詩集《ししゅう》などが、座右《ざゆう》の書として挙《あ》げられている。ユゴーやゲーテをはじめ、エマソン、トルストイ、シェイクスピア、ゾラ、ツルゲーネフの作品《さくひん》や、『平家物語《へいけものがたり》』『源平盛衰記《げんぺいせいすいき》』などの日本の古典《こてん》、論語《ろんご》や荘子《そうし》など中国の古典の名も、日記《にっき》に散見《さんけん》される。この独歩の〝読書リスト〟[*2]は、青年期の私の探究《たんきゅう》の道案内《みちあんない》ともなってくれた。

そうした先人《せんじん》たちとの心の対話《たいわ》は、計《はか》り知れない魂《たましい》の滋養《じよう》となった。今、私は、その恩返《おんがえ》しの思いを込めて、折々《おりおり》に、青年たちと良書《りょうしょ》を通《とお》して語《かた》り合っている。

内閣府《ないかくふ》が十代から二十代を対象《たいしょう》に行った調査《ちょうさ》によると、新聞や本などの活《かつ》字《じ》に触《ふ》れる時間は、平均《へいきん》して、テレビを見る時間の二割《わり》にすぎない。

アメリカの経済学者《けいざいがくしゃ》サロー博士《はかせ》とお会いした時、世界的に広がりをみせる〝活字離《ばな》れ〟への憂慮《ゆうりょ》を、こう述《の》べておられた。

「テレビなどの映像《えいぞう》メディアを見ていると、人々は視《し》覚的《かくてき》、感情的《かんじょうてき》に反応《はんのう》するようになります。『動的《どうてき》なもの』に興味《きょうみ》をもつのです。

それに対し、活字で書かれたものを読むには、『静的《せいてき》なもの』に反応《はんのう》しなければならない。

しかし現代人は、もはやそのことに慣《な》れていないのです。いわば『読み書きはできるが、本が読めない人々』が今の社会を形成《けいせい》しているのです」

確《たし》かに、読書《どくしょ》とは違《ちが》って、テレビなどの映像メディアは〝受け身〟のままで見ることができる。だが、その手軽《てがる》さや便利《べんり》さばかりに依存《いぞん》していると、いつしか、人間が本来《ほんらい》もつ「考える力《ちから》」や「判断《はんだん》する力」が弱まってしまうのではないか。

読書《どくしょ》は楽しい。朝の読書運動で、目を輝《かがや》かせて本を開く少年少女の顔《かんばせ》が、その証明《しょうめい》である。

浦安《うらやす》を舞台《ぶたい》に、代表作の『青べか物語《ものがたり》』を書き上げた山本周五郎《しゅうごろう》は、語《かた》っている。「読書ということは、人間の創造《そうぞう》したもっとも価値《かち》の高い快楽《かいらく》の一つだと思う」[*3]と。

良書は人類の精神の遺産

私が語らいを重《かさ》ねた、「アフリカの人権《じんけん》の父」マンデラ氏（南アフリカ前大統領《ぜんだいとうりょう》）も、二十七年半に及《およ》ぶ過酷《かこく》な投獄《とうごく》にあって、「人間の権利《けんり》」として読書を貫《つらぬ》かれた。光栄《こうえい》にも、獄中《ごくちゅう》で、私のエッセーの英訳文《えいやくぶん》にまで目を通《とお》してくださっていた。

マンデラ前大統領と会見（1995.7　東京）

氏は、ロベン島《とう》の監獄《かんごく》でギリシャの古典劇《こてんげき》から学びとった教訓《きょうくん》として、二点、挙《あ》げておられる。

「人格《じんかく》はきびしい状況《じょうきょう》のもとでこそ測《はか》られるということ」、そして「英雄《えいゆう》とはどんなに苦《くる》しい局面《きょくめん》でもくじけない人物《じんぶつ》だということ」である。*4

ともあれ、名著《めいちょ》を通し、先哲《せんてつ》が遺《のこ》してくれた精神の宝《たから》の遺産《いさん》を受け継《つ》ぐことができる。

そこには、いかなる試練《しれん》にも立ち向かう勇気《ゆうき》が漲《みなぎ》る。そして、あらゆる苦《く》難《なん》に打ち勝つ智慧《ちえ》と力《ちから》が湧《わ》いてくる。

活字《かつじ》文化は、人間生命の尊厳《そんげん》を象徴《しょうちょう》する営《いとな》みだ。だからこそ、良書《りょうしょ》を厳然《げんぜん》と護《まも》り伝える決心と、良書を新たに生み育てゆく努力《どりょく》が不可欠《ふかけつ》であろう。

「悪書《あくしょ》は無用《むよう》なばかりか、積極的《せっきょくてき》に害毒《がいどく》を流《なが》す*5」と、哲学者《てつがくしゃ》のショーペンハウアーは喝破《かっぱ》した。

なかんずく、人権《じんけん》を傷《きず》つける虚偽《きょぎ》や悪意《あくい》による言論《げんろん》の暴力《ぼうりょく》は、活字文化に対する重大《じゅうだい》な冒涜《ぼうとく》だ。活字《かつじ》文化の腐敗《ふはい》は人間性の腐敗であり、活字文化の衰《すい》退《たい》は文明の衰退である。

受け継がれる創造の息吹

古来《こらい》、房総半島《ぼうそうはんとう》の風光明媚《ふうこうめいび》な自然が織《お》りなす風土《ふうど》、そして温《あたた》かな人情《にんじょう》の美しさは、多くの文人によって謳《うた》い上げられてきた。

あの終戦《しゅうせん》の年の九月、私も、厳《きび》しい食糧難《しょくりょうなん》の中、肺病《はいびょう》の身《み》にリュックサックを背負《せお》いながら、買い出しのため、千葉の幕張《まくはり》を訪《おとず》れたことがあった。

世情《せじょう》も人心《じんしん》も、まだ殺伐《さつばつ》としていた時代である。それだけに、病気の私を気《き》遣《づか》いながら、大切《たいせつ》なサツマイモをたくさん分《わ》けてくださった農家《のうか》のご婦人の親切《しんせつ》が、どれほど有《あ》り難《がた》かったことか。

のちに私は、『忘れ得ぬ出会い』という一書《いっしょ》に、この千葉のお母さんのことを書き記《しる》して、感謝《かんしゃ》を留《とど》めさせていただいた。無名《むめい》の尊《とうと》き庶民《しょみん》を讃《たた》え宣揚《せんよう》することも、活字《かつじ》の持つ重要《じゅうよう》な使命《しめい》であり、責任《せきにん》であると、私は思う一人《ひとり》である。

振《ふ》り返れば、大正時代に、人道主義《じんどうしゅぎ》の理念《りねん》を掲《かか》げて文学界《ぶんがくかい》に大きな影響《えいきょう》を与《あた》えた、志賀直哉《しがなおや》や武者小路実篤《むしゃのこうじさねあつ》らによる「白樺派《しらかばは》」の人々が拠点《きょてん》としたのも、千葉県の我孫子《あびこ》であった。

北原白秋《きたはらはくしゅう》は閑静《かんせい》な地を求めて市川市《いちかわし》に移《うつ》り住《す》み、山本有三《やまもとゆうぞう》も現在のいすみ市に滞在《たいざい》し、代表作『真実一路《しんじついちろ》』の執筆《しっぴつ》を始めた。山武市《さんむ》出身《しゅっしん》である伊藤左千夫《いとうさちお》の『野菊《のぎく》の墓《はか》』は、松戸《まつど》と柴又《しばまた》を結ぶ「矢切《やぎり》の渡《わた》し」が舞台《ぶたい》である。

木更津《きさらづ》を故郷《こきょう》とする女性の新聞記者《きしゃ》・松本英子《まつもとえいこ》は、足尾《あしお》鉱毒事件《こうどくじけん》で正義《せいぎ》のペンを振《ふ》るった。

現代中国を代表する文学者《ぶんがくしゃ》で、日本との友好に尽力《じんりょく》された郭沫若《かくまつじゃく》先生が住まわれた市川《いちかわ》には、記念館も開設《かいせつ》されている。

千葉県は、まさに多くの言論人《げんろんじん》がこよなく愛してきた〝文化揺籃《ようらん》の天地〟であった。

こうした素晴《すば》らしき活字《かつじ》文化の創造《そうぞう》の息吹《いぶき》は、現在も、脈々《みゃくみゃく》と受け継《つ》がれている。


先日、千葉市の若いお母さん方から、草《くさ》の根《ね》で進める活発《かっぱつ》な「読み聞かせ運動」の様子《ようす》を伺《うかが》った。

月一回の地道《じみち》な集まりであっても、幼子《おさなご》たちの命《いのち》に確実《かくじつ》に本を読む喜びが深《ふか》まっているという。

さらに、引《ひ》っ越《こ》してきて知り合いのいなかったお母さん方が友情を広げる機会《きかい》ともなり、地域《ちいき》の共同体《きょうどうたい》づくりにも連動《れんどう》していると語《かた》られていた。

インドの食糧危機《しょくりょうきき》を救った農学者《のうがくしゃ》で、パグウォッシュ会議の前議長《ぜんぎちょう》であるスワミナサン博士《はかせ》は、私との対談集《たいだんしゅう》（『「緑の革命」と「心の革命」』）の中で、「『本を読む楽しさ』を伝えるのは、まず親である」と強調《きようちよう》されていた。

親子して、地域《ちいき》ぐるみで、活字《かつじ》文化を活性化《かつせいか》していく中で、「育児《いくじ》」は「育自（自分育て）」ともなり、「教育」は「共育（共に育つ）」となる。

読書《どくしよ》には、心を生き生きと躍動《やくどう》させる力《ちから》がある。

最新《さいしん》の脳科学《のうかがく》の研究《けんきゆう》では、一日五分の音読《おんどく》を続ければ、大人《おとな》の脳は十歳《さい》も若返るともいわれている。

「人類《じんるい》をより良い人間にするために、活字文化は新世界の扉《とびら》を開くことができる」とは、交流《こうりゆう》を結んだ「アメリカの人道《じんどう》の母」ローザ・パークスさんの信念であった。*6

本を開くことは、未来《みらい》への扉を開くことだ。

房総《ぼうそう》の菜《な》の花畑《はなばたけ》を吹《ふ》きわたる春風《はるかぜ》のように、青年たちの生命へ良書《りようしよ》の新鮮《しんせん》な活力《かつりよく》を贈《おく》りたい。

そして、千葉から世界へ広がる大海原《おおうなばら》のように、「活字《かつじ》文化のルネサンス」の金波《きんぱ》、銀波《ぎんぱ》を起こしていきたいと思う今日《きょう》この頃《ごろ》である。

千葉日報　2008年3月16日

＊1 『ヴィクトル・ユゴー文学館9』（潮出版社）所収「言行録」（稲垣直樹訳）を参照
＊2 『國木田獨歩全集6・7』（学習研究社）を参照
＊3 『人間愛のうた』（番町書房）
＊4 『自由への長い道――ネルソン・マンデラ自伝（下）』（東江一紀訳、日本放送出版協会）
＊5 『読書について　他二篇』（斎藤忍随訳、岩波文庫）所収「読書について」
＊6 『ローザ・パークスの青春対話』（高橋朋子訳、潮出版社）を参照

平和と芸術――沖縄の心を讃う

芸術《げいじゅつ》は、生きる歓《よろこ》びの歌である。
芸術は、人間を結びあう力《ちから》である。
芸術は、波濤《はとう》を乗り越えて平和へ進みゆく、生命の勝利《しょうり》の舞《まい》である。

二年前（二〇〇一年）の十一月に再会《さいかい》した、冷戦終結《れいせんしゅうけつ》の立役者《たてやくしゃ》であるゴルバチョフ氏《し》（元ソ連大統領《だいとうりょう》）は、感慨深《かんがいぶか》げに語《かた》られた。

「長い間《あいだ》、夢見《ゆめみ》ていた沖縄を、ついに訪《おとず》れることができました。私にとって沖縄は、特別なところなのです」

ゴルバチョフ氏《し》は、若き日から、平和の島《しま》・沖縄に注目《ちゅうもく》し、訪問《ほうもん》を強く願《ねが》ってきたという。

「沖縄の人々は、素晴《すば》らしい知的《ちてき》な方々です。生き生きとしていて、心が温《あたた》かい。一生涯《いっしょうがい》、忘れ得ぬ出会いとなりました」

氏は、一九三一年の生まれ。私たちは、少年の日の戦争《せんそう》体験を共有《きょうゆう》している。共に発刊《はっかん》した対談集《たいだんしゅう》（『二十世紀の精神の教訓《きょうくん》』）のなかでも、氏は怒《いか》りを込めて訴《うった》えていた。

「『戦争の子ども』である私たちの世代こそ、戦争の愚《おろ》かさ、非《ひ》人間性、不《ふ》条理性《じょうりせい》をあばいていかなくてはいけません。いったい、何のために、これほどの苦《くる》しみ、苦悩《くのう》を味《あじ》わわなければならないのか？」

私が沖縄を初《はじ》めて訪問し、「ひめゆりの塔《とう》」や「健児《けんじ》の塔」で、犠牲《ぎせい》になられた方々へ、深い追悼《ついとう》の祈りを捧《ささ》げたのは、いまだアメリカの施《し》政権下《せいけんか》にあり、渡航《とこう》にパスポートが必要な一九六〇年の夏のことであった。

戦争《せんそう》のゆえに、どこよりも苦《くる》しみ抜かれた、この沖縄こそが、「どこよりも幸《しあわ》せな平和島」になることなくして、日本の将来《しょうらい》はない。アジア、ひいては世界の真《しん》の平和もやってくることはない。

民衆《みんしゅう》による平和運動の歴史《れきし》を綴《つづ》りゆく小説《しょうせつ》『人間革命《かくめい》』を、私が那覇市《なはし》で書き起こしたのも、その思いからであった。

ゴルバチョフ氏《し》と私は、沖縄の過去と現在、そして未来《みらい》を見つめながら、「時代は変わる」という希望を語《かた》り合った。そのためには、人間の「心」を変えることだ。「心」を結ぶことだ。

ゴルバチョフ氏に限《かぎ》らず、沖縄を訪《おとず》れる世界の友は、誠実《せいじつ》な人々の心の温《ぬく》もりと思いやりの深さに感動《かんどう》する。

そして、その心が織《お》りなす、大《おお》らかで伸びやかな沖縄の芸術《げいじゅつ》を、皆が感嘆《かんたん》してやまない。

元ソ連大統領のゴルバチョフ氏と会談（2007.6　東京）

沖縄の芸術は〝かりゆしの海〟の癒し

開かれた魂《たましい》を持てる人は、天空《てんくう》であれ、大地であれ、星であれ、花であれ、宇宙《うちゅう》のありとあらゆるものを呼吸《こきゅう》し、生きとし生けるものと交流《こうりゅう》していくことができるのであろう。

そこには、気取《きど》った芸術《げいじゅつ》の堅苦《かたくる》しさもなければ、威張《いば》りもない。

沖縄の芸術には、あの「かりゆしの海」と同じように、人の心をくつろがせ、癒《いや》し、広々と解《と》き放《はな》ってくれる豊《ゆた》かさがある。

さらにまた、いかなる試練《しれん》にも負《ま》けず、前へ前へと、進みゆく生命の力《ちから》を引き出してくれる、太陽のように朗《ほが》らかな強さがある。

「島唄《しまうた》があったから、戦世《いくさゆ》も、貧乏《びんぼう》も、我慢《がまん》できた」

皆から慕《した》われゆく「うちなー」（沖縄）のおじい、おばあは、笑顔皺《えがおじわ》をほころばせて語《かた》る。

日本のどこに、これほどまでに、生活と歌が一体《いったい》となっている、明るい芸《げい》術《じゅつ》の都《みやこ》があろうか。

老《お》いも若きも、「唐船《とうしん》どーい」の出だしの三線《さんしん》の音を聴《き》けば、体《からだ》が自然に踊《おど》り出す。いにしえ、中国と往来《おうらい》する船《ふね》を、皆が大喜びで迎《むか》えた光景《こうけい》も、生き生きと蘇《よみがえ》ってくる。

傲慢《ごうまん》な役人《やくにん》を痛烈《つうれつ》に批判《ひはん》する、正義《せいぎ》の息吹《いぶき》にみなぎった「県道節《けんどうぶし》」。戦争《せんそう》の不毛《ふもう》さを、聴《き》く人の心の底《そこ》に刻《きざ》みつけずにはおかない「戦後の嘆《なげ》き」。

どんな困難《こんなん》な状況《じょうきょう》でも、打ち勝ってみせるという心意気《いき》を歌い上げた「ヒヤミカチ節」。

こうした数々の島唄《しまうた》は、故郷《こきょう》を離《はな》れたどこで歌われようとも、常《つね》に大喝采《だいかっさい》に包《つつ》まれる。そこが、ウチナーンチュ（沖縄の人）が勇敢《ゆうかん》に移住《いじゅう》した海外《かいがい》の地であっても、変わらない。

「文化の力」こそ歴史変革の底流

近年、南米《なんべい》ペルーで、私の若き友人たちが、日本人移住《いじゆう》百周年の記念式典《しきてん》を盛大《せいだい》に行ったときも、その冒頭《ぼうとう》を晴《は》れ晴《ば》れと飾《かざ》ったのは、乙女《おとめ》らによる沖縄の収穫《しゆうかく》の舞《まい》であった。

島唄《しまうた》も、琉球舞踊《りゆうきゆうぶよう》も、日本が世界に誇《ほこ》る最高《さいこう》の芸術《げいじゆつ》であると、私は声を大にして宣揚《せんよう》したい。

私も、沖縄の郷土芸能《きようどげいのう》に触《ふ》れるたびに、体《からだ》が自然と動き出してしまう。以《い》前《ぜん》、八重山《やえやま》に伝《つた》わる獅子舞《ししまい》を地元《じもと》の方々が披露《ひろう》してくださった時にも、じっとしていられず、鉢巻《はちま》きを締《し》め、太鼓《たいこ》を小脇《こわき》に抱《かか》えて、飛《と》び入《い》り参加したことが懐《なつ》かしい。

歴史的《れきしてき》にも、沖縄は礼節《れいせつ》を重《おも》んじ、あらゆる民族《みんぞく》の人々を寛容《かんよう》に迎《むか》え入れてきた「守礼之邦《しゅれいのくに》」として知られる。

かのナポレオンが「琉球《りゅうきゅう》には武器《ぶき》がない」と聞かされて、「そんな国が、この世にあるのか！」と驚嘆《きょうたん》したというエピソードも有名である。*1

そうした琉球時代の精神を受け継《つ》ぎ、家々《いえいえ》には、床《とこ》の間《ま》に楽器《がっき》の三線《さんしん》を飾《かざ》る伝統《でんとう》が続《つづ》いてきた。床の間は、その家庭《かてい》で最《もっと》も大切《たいせつ》にするものが置《お》かれる場所だ。

〝武器〟ではなく〝楽器〟を！

人間を分断《ぶんだん》する「武器《ぶき》」ではなく、人間を融合《ゆうごう》させゆく「楽器《がっき》」を大切にして、「暴力《ぼうりょく》」に屈《くっ》せぬ「文化の力《ちから》」を重《おも》んじてきたのが、沖縄の生き方である。

とくに、戦後《せんご》の沖縄にあっては、「文化で復興《ふっこう》を！」という指標《しひょう》が、いち早《はや》く明確《めいかく》に掲《かか》げられた。美術・工芸《こうげい》を網羅《もうら》した名高い「沖展」や「伝統芸能《でんとうげいのう》芸術祭《げいじゅつさい》」などの開催《かいさい》を通《つう》じて、文化の興隆《こうりゅう》に力強いリーダーシップを発揮《はっき》し、人々の心に限《かぎ》りない「勇気《ゆうき》」と「希望」と「誇《ほこ》り」を贈《おく》ってこられた。

文化は、地味《じみ》かもしれない。しかし、人間の心の奥深《おくふか》くまで照《て》らし、一人《ひとり》ひとりの智慧《ちえ》を触発《しょくはつ》しながら、平和の方向《ほうこう》へ、繁栄《はんえい》の方向へと、歴史変革《れきしへんかく》の確《たし》かなる底流《ていりゅう》を形《かたち》づくっていくのが、文化の力《ちから》である。

この文化の価値《かち》を再生《さいせい》させ、文化の交流《こうりゅう》を民衆《みんしゅう》レベルで幅広《はばひろ》く進めることは、世界平和への潮流《ちょうりゅう》を強めていく直道《じきどう》にほかならない。

私が一九六三年、東西冷戦《とうざいれいせん》の混迷《こんめい》が深まる時代にあって、民主音楽協会《きょうかい》（民音）を創立《そうりつ》し、さらに東京富士美術館などを開館《かいかん》したのも、その信条《しんじょう》からであった。

文化は、誰のものなのか、誰のためにあるのか。「人間のため」「民衆のため」という一点を忘れた文化は、いかに表面的《ひょうめんてき》な華《はな》やかさを誇《ほこ》っても、砂上《さじょう》の楼閣《ろうかく》に等《ひと》しい。

沖縄には、広い所で皆が唄《うた》を歌いあう「毛《もう》アシビー」の伝統《でんとう》と精神が脈々《みゃくみゃく》と生きている。まさに沖縄こそ、「人間文化」、「民衆芸術《みんしゅうげいじゅつ》」の先進地《せんしんち》であると、私は常々《つねづね》、感銘《かんめい》してきた。

今年（二〇〇三年）で創立《そうりつ》四十周年を迎《むか》えた民音は、これまで世界九十カ国・地域《ちいき》と交流《こうりゅう》し、公演回数《こうえんかいすう》も通算《つうさん》で六万回を超《こ》えるまでになった。

沖縄でも、さまざまなご後援《こうえん》やご協力《きょうりょく》を得ながら、数多くの公演を開催《かいさい》させていただいた。

平和と文化を愛する心

昨年《さくねん》（二〇〇二年）、日中国交正常化《にっちゅうこっこうせいじょうか》三十周年を記念して行われた「中国京劇院《きょうげきいん》」の招《しょう》へいも、その一環《いっかん》である。京劇院の名優《めいゆう》たちも、文化を愛する沖縄の馥郁《ふくいく》たる心に包《つつ》まれた公演《こうえん》の大成功《だいせいこう》を、何よりも喜ばれていた。

京劇院の方々は、多忙《たぼう》な日程《にってい》をぬって、恩納村《おんなそん》にある私たちの沖縄研修《けんしゅう》道場《どうじょう》にも足を運《はこ》んでくださった。敷地内《しきちない》の「世界平和の碑《ひ》」は、米軍《べいぐん》の基地《きち》跡《あと》に設置《せっち》したものである。

夏永宏団長《かえいこうだんちょう》は、「中国に向けられていたミサイル発射台《はっしゃだい》を、平和発信《はっしん》の地へと転換《てんかん》された心は、芸術《げいじゅつ》を通《とお》して平和を願《ねが》う私たちの心と同じです。平和のために、ともどもに頑張《がんば》っていきたい」と語《かた》られていた。

国と国の友好といっても、所詮《しょせん》、一人《ひとり》ひとりが互《たが》いをよく知ることから始まる。

どんな国家《こっか》や体制《たいせい》でも、社会を現実に支《ささ》えているのは民衆《みんしゅう》だ。その民衆同《どう》士《し》が文化の交流《こうりゅう》を通《つう》じて、互いに理解《りかい》を育《はぐく》んでいくならば、崩《くず》れざる平和の土壌《どじょう》が耕《たがや》されるはずである。

なかんずく、日本は、アジアの人々から、心より信頼《しんらい》されるようになったときに、はじめて真《しん》の平和国家《こっか》、文化国家といえるであろう。二十一世紀に進むべき、この大道《だいどう》を先駆《せんく》して開かれているのが、沖縄の方々である。

沖縄は、地理的《ちりてき》にも文化的にも、アジアの平和への要石《かなめいし》である。コンパスの中心《ちゅうしん》を沖縄に置《お》けば、東京も香港《ホンコン》もマニラも、ほぼ同一円周上《どういつえんしゅうじょう》にあることがわかる。

世界最高水準《さいこうすいじゅん》の大学院大学の開設《かいせつ》も決定した。さらに、国連《こくれん》アジア本部などの招致《しょうち》も、積極的《せっきょくてき》に進められている。

民音の活動に賛同《さんどう》してくださった、二十世紀最高峰《ほう》のバイオリニストのユーディ・メニューイン氏が、これからの世界市民に欠《か》かせぬ要件《ようけん》として挙《あ》げられたことがある。それは、〝すべての生命の現《あらわ》れへの共感《きょうかん》〟であり、〝人類《じんるい》そのものの高貴《こうき》性《せい》への信頼《しんらい》と敬意《けいい》〟である。[*2]

沖縄には、「命《ヌチ》ドゥ宝《たから》」という「生命尊厳《そんげん》の哲学《てつがく》」が輝いている。また、ウチナーンチュの心には、「イチャリバ・チョーデー」(出会《であ》えば、みな兄弟)という「世界市民《しみん》の気風《きふう》」が、力強く脈打《みゃくう》ってきた。

私たちの創価大学でも、世界からの賓客《ひんきゃく》を迎《むか》えるとき、沖縄出身《しゅっしん》の学生を中心に民俗芸能《みんぞくげいのう》「エイサー」で歓迎《かんげい》することが、多々《たた》ある。日本全国の学生も世界各国《かっこく》から集《つど》った留学生《りゅうがくせい》たちも一体《いったい》となって、潮騒《しおさい》のようなリズムに合わせ、共に歌い、共に舞う。まさに沖縄の文化を通《とお》して、世界の知性《ちせい》と青春《せいしゅん》の生命が麗《うるわ》しい共鳴《きょうめい》を奏《かな》でるのである。

生命の探求が人間性の勝利に

私は、十八世紀、琉球《りゅうきゅう》王国の黄金《おうごん》時代を築《きず》いた哲人《てつじん》指導者・蔡温《さいおん》の一文を思い出す。

「剣《けん》は小宝《しょうほう》なり」「大宝《たいほう》は唯《た》だ汝《なんじ》の身《み》なり*3」。

いかなる名剣《めいけん》なりとも、小さな宝《たから》にすぎない。最《もっと》も大《おお》いなる宝とは、自分自身の持っている生命それ自体《じたい》なのだ――。

その通《とお》りである。この一番大切《たいせつ》な生命を、いかに探究《たんきゅう》し、解明《かいめい》し、いかに啓発《けいはつ》し、錬磨《れんま》していくか。ここに、二十一世紀の世界が志向《しこう》していくべき根《こん》本《ぽん》の課題《かだい》があるといっても、決して過言《かごん》ではあるまい。この生命という一点を見失えば、再《ふた》び「戦世《いくさゆ》」へと心の逆転《ぎゃくてん》が始まるであろう。私は、そのことを憂慮《ゆうりょ》する一人《ひとり》である。

かつて、日本の狂《くる》った軍国主義《ぐんこくしゅぎ》と戦《たたか》い獄死《ごくし》した信念の大教育者は、「教育は、生命という無上《むじょう》の宝から、人格《じんかく》の価値《かち》を創造《そうぞう》する最高《さいこう》の芸術《げいじゅつ》である」と訴《うった》えていた。

残念《ざんねん》ながら、現代は、社会の至《いた》るところに暴力《ぼうりょく》が噴《ふ》き出し、人権《じんけん》や正義《せいぎ》を踏《ふ》みにじる風潮《ふうちょう》がはびこっていることも事実である。

だからこそ、若き生命には、よりよき心の滋養《じよう》を、厳然《げんぜん》と贈《おく》り続《つづ》けていきたい。

その意味において、沖縄タイムスが営々《えいえい》と積《つ》み重《かさ》ねてこられた「こども芸《げい》能祭《のうさい》」のように、未来《みらい》の世代に焦点《しょうてん》を当てた、地道《じみち》にして堅実《けんじつ》な努力《どりょく》が、一《いち》段《だん》と重要《じゅうよう》になってこよう。

私が創立《そうりつ》した戸田記念国際平和研究所《けんきゅうじょ》では、二〇〇〇年の二月、沖縄で、サミットに先がけて、「文明間の対話《たいわ》」国際会議を開催《かいさい》した。

その会議には、ノーベル平和賞を受賞《じゅしょう》した世界的な物理《ぶつり》学者《がくしゃ》ロートブラット博士《はかせ》（パグウォッシュ会議名誉会長）も、はるばるロンドンから駆《か》けつけてくださった。

博士は、最愛《さいあい》の夫人をホロコースト（大量虐殺《たいりょうぎゃくさつ》）で失っている。幾多《いくた》の非《ひ》難中傷《なんちゅうしょう》など、ものともせず、世界不戦《ふせん》のために真剣《しんけん》に行動《こうどう》されてきた。九十歳《さい》を超《こ》えても、平和への闘志《とうし》は、炎《ほのお》の如《ごと》く生命に燃《も》え上がっている。沖縄の凛々《りり》しき若人《わこうど》たちとの出会いを、心から喜ばれる博士であった。

イギリス・ロンドン　1989.5

博士が、常に青年へ託《たく》されるメッセージは、「人間性を忘れるな！」という一言《ひとこと》である。世界的な核兵器廃絶《かくへいきはいぜつ》運動の淵源《えんげん》となった「ラッセル・アインシュタイン宣言《せんげん》」の一節《いっせつ》だ。

時代は、いよいよ「人間性」と「野蛮《やばん》な獣性《じゅうせい》」の戦《たたか》いの様相《ようそう》を深《ふか》めている。しかし、正義《せいぎ》に目覚めた世界市民《しみん》が忍耐《にんたい》強く連帯《れんたい》していくならば、どれほど巨大《きょだい》な人間性の勝利《しょうり》の力《ちから》が生まれることか。

「戦争《せんそう》と暴力《ぼうりょく》の世紀」から「平和と芸術《げいじゅつ》の世紀」へ――。その挑戦《ちょうせん》を、「沖縄の心」に学びながら、断固《だんこ》として進めていきたい。

沖縄タイムス　2003年12月2日

＊1　大熊良一訳著『セント・ヘレナのナポレオン』（近藤出版社）を参照
＊2『音楽　人間　文明』（和田旦訳、白水社）を参照
＊3　崎浜秀明編著『蔡温全集』（本邦書籍）

Ⅳ

平和

国際交流こそ「平和の道」

「時代は、どのようにでも変わります。その変化は、協力《きょうりょく》しあう人びとの『心』の広がりによって決まると思います」

冷戦《れいせん》を終結《しゅうけつ》に導《みちび》いた、あのゴルバチョフ元《もと》ソ連大統領《だいとうりょう》は、こう語《かた》られた。

新しい変化の風を起こすのは、新しい一歩を踏《ふ》み出す勇気《ゆうき》である。

田中正造翁《しょうぞうおう》をはじめ、栃木の先人《せんじん》たちには、その大《おお》いなる勇気が、光っている。

栃木県出身の恩師

「環境保護運動《かんきょうほごうんどう》」の原点たる足尾銅山問題《あしおどうざんもんだい》で、田中翁《おう》が貫《つらぬ》いた不屈《ふくつ》の信念――。それは、「下野新聞《しもつけしんぶん》」の前身《ぜんしん》であった「栃木新聞」の編集長《へんしゅうちょう》時代に培《つちか》われたと言われる。

晩年《ばんねん》の彼は、青年たちが「平和の伝道者《でんどうしゃ》」として行動《こうどう》することにこそ、日本の果《は》たすべき真《しん》の使命《しめい》があると強く訴《うった》え続けていた。

思えば、小学校《しょうがっこう》五年生の私に、世界への眼を鮮烈《せんれつ》に開いてくださったのは、栃木県出身《しゅっしん》で担任《たんにん》の檜山浩平《ひやまこうへい》先生であった。

ある日、檜山先生は、教室に掲《かか》げられた地図《ちず》を指《ゆび》さしながら、「みんなは世界のどこに行きたいか？」と尋《たず》ねられた。

私がアジア大陸《たいりく》の真《ま》ん中をさすと、先生は「そこは、敦煌《とんこう》といって、素晴《すば》らしい宝物《たからもの》がいっぱいあるところだぞ」と、シルクロードのロマンを語《かた》り聞かせてくれたのである。

日中戦争《にっちゅうせんそう》のさなかであったが、お隣《となり》・中国の悠久《ゆうきゅう》の文化への憧憬《しょうけい》は、少年の心に深く植《う》えつけられた。

一九六八年、私は「日中国交正常化《にっちゅうこっこうせいじょうか》」への提言《ていげん》を発表《はっぴょう》した。さまざまな圧《あっ》迫《ぱく》の連続《れんぞく》であったが、もとより覚悟《かくご》の上であった。

中国と文化・教育の交流《こうりゅう》を進め、世界と友情を結ぶ教え子の姿《すがた》を、檜山《ひやま》先生は栃木の地で、終生《しゅうせい》、温《あたた》かく見守ってくださっていた。

困難な時にこそ

栃木県では、青年が先頭《せんとう》に立って「国際《こくさい》交流」の輪《わ》を、活発《かっぱつ》に広げてこられた。

「県青年の船《ふね》」は、三十年前にスタートし、今年（二〇〇五年）も秋に、姉妹交流《しまいこうりゅう》を結ぶ中国の浙江省《せっこうしょう》等を訪《おとず》れることが決まっている。

一時《いちじ》は、先に中国で起こった反日《はんにち》デモなどの影響《えいきょう》もあって、実施《じっし》を危《あや》ぶむ声もあがっていたとうかがった。

しかし、派遣《はけん》の正式《せいしき》決定を報《ほう》じた「下野新聞《しもつけ》」には、「日中関係が良くない時こそ草《くさ》の根《ね》レベルの交流が重要《じゅうよう》」と明快《めいかい》に綴《つづ》られており、私は感銘《かんめい》した。困難《こんなん》な時に、手を取り合い、ともに道《みち》を開くのが、真《しん》の友人であり、友好であろう。

一九九三年、私が創立《そうりつ》した東京富士美術館は、コロンビア共和国《きょうわこく》の国立博《こくりつはく》物館《ぶつかん》で「日本美術の名宝《めいほう》」展《てん》を開催《かいさい》した。その三年前に、世界初公開《はつこうかい》となるエメラルドの結晶原石《けっしょうげんせき》をはじめ、コロンビアの国宝級《こくほうきゅう》の約五百点を日本で展《てん》示《じ》してくださったことへの答礼《とうれい》である。

当時《とうじ》、首都《しゅと》ボゴタはテロが続発《ぞくはつ》し、厳戒態勢《げんかいたいせい》が敷《し》かれ、開催を危惧《きぐ》する声も多かったが、私は申し上げた。

「名宝展《めいほうてん》は、コロンビアへの友情の証《あかし》です。友情は何ものにも代《か》えられません。何があろうと、私は信義《しんぎ》を貫《つらぬ》きたいのです」

栃木県立博物館《はくぶつかん》で三年前（二〇〇二年）に開催《かいさい》された「プロヴァンス発見《はっけん》」展《てん》も、尊《とうと》き国際交流《こくさいこうりゅう》の結実《けつじつ》である。フランスのヴォークリューズ県に散在《さんざい》するコレクションを選別《せんべつ》し、体系別《たいけいべつ》に展示《てんじ》された同展は、「友好県でなければ開催は不可能《ふかのう》」と絶賛《ぜっさん》された。

人々の心の結合

国と国の友好といっても、人と人の心の結合《けつごう》から始まる。複雑《ふくざつ》な対立《たいりつ》や葛藤《かっとう》が渦巻《うずま》く現代だからこそ、誠実《せいじつ》にして粘《ねば》り強い文化の交流《こうりゅう》を積《つ》み重ね、相互理解《そうごりかい》を深めていきたい。地道《じみち》でありながら、そこにこそ、政治や経済《けいざい》の荒《あら》波《なみ》に左右《さゆう》されぬ、世界の平和と安全《あんぜん》の橋《はし》が構築《こうちく》されていくからだ。

昨年（二〇〇四年）、日光《にっこう》市と敦煌市《とんこうし》が新たに友好都市《とし》を結ばれたという嬉《うれ》しいニュースを聞いた。

「敦煌」という名前には「大きく輝《かがや》く」という意義がある。敦煌の芸術《げいじゅつ》を護《まも》り抜かれた〝人間国宝《こくほう》〟の常書鴻画伯《じょうしょこうがはく》と、私は語《かた》り合った。

「新しい精神の交流《こうりゅう》のシルクロードを開き、『大きく輝く』敦煌のような平和の都《みやこ》を、世界の各地に数限《かずかぎ》りなく築《きず》いていきたい」と。

わが恩師《おんし》のふるさと栃木を起点《きてん》として、国際交流《こくさいこうりゅう》という平和の道《みち》が幾重《いくえ》にも広がりゆくことを、私は心から喜び見つめている。

下野新聞　2005年7月12日

トインビー博士との対話

「試練《しれん》の苦難《くなん》に、人々が断固《だんこ》として立ち向かう決心をしたとき、歴史《れきし》をつくる最《もつと》も大きな力が動き始める」

これは、歴史学者《がくしや》アーノルド・トインビー博士《はかせ》の洞察《どうさつ》である（『歴史の研究』）。今、二十一世紀の試練《しれん》に立って、この博士の信念に共感《きようかん》を覚《おぼ》えるのは、私一人《ひとり》ではあるまい。

博士《はかせ》と初めてお会いしたのは、一九七二年五月五日。ロンドンの新緑《しんりょく》が輝《かがや》くメイフラワー・タイム（五月の花咲《はなさ》く頃《ころ》）であった。

ご招待《しょうたい》いただいた約束《やくそく》の朝十時半に、赤《あか》レンガ造《づく》りのアパートのご自宅《じたく》へ伺《うかが》った。手動式《しゅどうしき》のドアのエレベーターで五階にあがると、博士がヴェロニカ夫人とともに、玄関《げんかん》の前で両手《りょうて》をあげて待っていてくださった。

白髪《はくはつ》、長身《ちょうしん》の博士は、眼鏡《めがね》の奥《おく》に知的《ちてき》な瞳《ひとみ》を光らせながら、その面長《おもなが》な顔に満面《まんめん》の笑《え》みを浮《う》かべておられる。ご夫妻は、ご自宅《じたく》を隅《すみ》から隅まで案内《あんない》してくださった。応接間《おうせつま》のソファに腰掛《こしか》けると、壁《かべ》の風景画《ふうけいが》が清々《すがすが》しい。質素《しっそ》なお宅であったが、隣室《りんしつ》の書斎《しょさい》には、ぎっしりと本が並《なら》べられていた。

私が心からの感謝《かんしゃ》を述べると、「やりましょう！　二十一世紀の人類《じんるい》のために語《かた》り継《つ》ぎましょう！」と、八十三歳《さい》とは思えぬ若々《わかわか》しい声が返ってきた。

一日目の対談《たいだん》は、昼食《ちゅうしょく》をはさんで、午後六時半まで行った。やわらかな陽光《ようこう》が差《さ》し込む応接間には、時折《ときおり》、小鳥《ことり》のさえずりも聞こえてくる。二日目は午後四時から六時半まで、三日目は午後三時から七時まで、最終日《さいしゅうび》は午後三時から五時半までと、四日間続《つづ》いた。

テーマは、地球《ちきゅう》文明の未来《みらい》、健康と環境《かんきょう》、生命論、女性論、国際情勢《こくさいじょうせい》と世界統合化《とうごうか》、教育と宗教など、実《じつ》に多岐《たき》に及《およ》んだ。

米ソ冷戦《れいせん》に加《くわ》え、ベトナム戦争《せんそう》、中ソ対立《たいりつ》等、世界の各地で緊張《きんちょう》が続く渦中《かちゅう》である。人類共存《じんるいきょうぞん》への智慧《ちえ》と教訓《きょうくん》を、大歴史家《だいれきしか》から私はお聞きしたかった。

あらかじめ、びっしりと論点《ろんてん》を書き込んだ紙《かみ》を手にされながら、一つ一つの質問《しつもん》に丁寧《ていねい》に答えてくださる。まるで頭脳《ずのう》に大英図書館《だいえいとしょかん》が収《おさ》められたような、該博《がいはく》な知識《ちしき》をお持ちの博士《はかせ》であった。

対話《たいわ》は、談論風発《だんろんふうはつ》にして縦横無尽《じゅうおうむじん》に広がる。三人がかりの通訳《つうやく》でも追いつかぬほどの勢《いきお》いとスピードであった。高齢《こうれい》の博士がお疲《つか》れにならぬよう、何度か、翌日の開始時間を遅《おく》らすことを申し出たが、「予定通りに」と悠然《ゆうぜん》と答えられるのが常《つね》であった。

東京　2000.4

博士《はかせ》のモットーは、ラテン語の「ラボレムス（さあ、仕事《しごと》を続《つづ》けよう）」である。「仕事をしたいという気持ちになるのを待っていたのでは、いつまでも仕事はできません」とも微笑《ほほえ》んでおられた。

母と子の笑いさざめく社会を

翌年（一九七三年）の五月にも、再《ふたた》び博士《はかせ》のご招待《しょうたい》を受け、ロンドンで五日間にわたる対談《たいだん》を行った。その様子《ようす》を、常《つね》に傍《かたわ》らで、ヴェロニカ夫人が私の妻と並《なら》んで、静かに見守られていた。

夫人は、イギリスの王立国際問題研究所《おうりつこくさいもんだいけんきゅうじょ》で、博士とともに二十冊《さつ》に及《およ》ぶ『国際問題大観《たいかん》』を共同執筆《きょうどうしっぴつ》された方である。博士の畢生《ひっせい》の大著《たいちょ》『歴史《れきし》の研究』の索引作成《さくいんさくせい》にも、尽力《じんりょく》された。

従来《じゅうらい》の西洋《せいよう》中心の歴史観を打ち破《やぶ》り、諸《しょ》文明の融合《ゆうごう》の道を開いた博士の業績は、一部の心ない非難《ひなん》にさらされた。先見《せんけん》の人に、迫害《はくがい》は必然《ひつぜん》である。しかし博士《はかせ》の信念は、揺《ゆ》るがなかった。「皮相的《ひそうてき》な嫉妬《しっと》の論難《ろんなん》など、なんら本《ほん》質《しつ》とは関《かか》わりない」と。その博士を毅然《きぜん》と支《ささ》えられたのが、夫人である。

補聴器《ほちょうき》をつける博士が聴《き》き取りにくい表情《ひょうじょう》をされると、夫人がすかさず耳《みみ》元《もと》で語《かた》られた。ご夫妻の麗《うるわ》しい呼吸《こきゅう》は、今も胸に温《あたた》かい。

心地《ここち》よい緊張感《きんちょうかん》が漂《ただよ》う対話《たいわ》に一息《ひといき》つくと、夫人が日本の玉露《ぎょくろ》をいれてくださった。

博士も日本茶《ちゃ》がお好きなようで、玉露の入ったコーヒーカップを片手《かたて》に、「最初《さいしょ》に日本に行った時、京都でお茶に出あったのです」と話された。「いつですか」と聞くと、「一九二九年」との答え。「私はまだ一歳《さい》でした」と応じると、快活《かいかつ》な笑《わら》い声がはじけた。

博士宅の暖炉《だんろ》の飾《かざ》り棚《だな》には、第一次世界大戦《たいせん》で若《わか》くして犠牲《ぎせい》となった、博士の級友《きゅうゆう》たちの写真《しゃしん》が十数点、大切《たいせつ》に置《お》かれていた。息子《むすこ》の戦死《せんし》を耳にした母たちの悲嘆《ひたん》の涙《なみだ》が忘れられないと、博士《はかせ》は述懐《じゅっかい》されていた。

戦争《せんそう》ほど、残酷《ざんこく》にして悲惨《ひさん》なものはない。

二十一世紀は、断《だん》じて、母と子の笑《わら》いさざめく「平和と人道《じんどう》の世紀」へ――。博士と私の語《かた》らいは、この点でも強《つよ》く一致《いっち》していた。

世界の知性と対話の渦を

対話《たいわ》は、二年越し、のべ四十時間に及《およ》んだ。

博士が最《もっと》も関心を抱《いだ》いておられたのが、人間の生死《しょうじ》という根本課題《こんぽんかだい》である。仏教の視点《してん》について、とくに鋭《するど》い質問《しつもん》を受けた。

誰人も、環境《かんきょう》や運命《うんめい》に負《ま》ける存在ではない。永遠《えいえん》なるもの、精神的なものを志向《しこう》する中で、人間としての尊極《そんごく》なる生命を開花《かいか》させつつ、社会をよりよく変革《へんかく》していかねばならない――この仏法の法理《ほうり》を語《かた》ると、「私の『挑戦《ちょうせん》と

トインビー博士と散策（1972.5　イギリス・ロンドン）

応戦《おうせん》』の理論《りろん》に通《つう》じますね」とうなずかれた。

「二十一世紀の人類《じんるい》へのメッセージを」と要請《ようせい》したところ、博士《はかせ》は、哲学《てつがく》者《しゃ》ラッセルが八十四歳《さい》のときに語《かた》った言葉をあげられた。

「人間は、自分の死後《しご》に何が起ころうとしているかに、思いをいたすことが大事である」

この時、博士も八十四歳。私は四十五歳。親子《おやこ》ほど年の離《はな》れた私に、博士は未来《みらい》を託《たく》されるかのように、接《せっ》してくださった。

ご自宅《じたく》の側《そば》のホーランド公園《こうえん》を一緒《いっしょ》に散策《さんさく》したこともある。バッキンガム宮殿《きゅうでん》の近くのアセニウム・クラブにも招《まね》いてくださった。一八二〇年に創立《そうりつ》された伝統《でんとう》あるクラブで、博士は名誉会員である。昼食《ちゅうしょく》を共にしながら、ダンテの『神曲《しんきょく》』や、ゲーテの『ファウスト』をめぐって、文学談議《だんぎ》をしたことも懐《なつ》かしい。

食事《しょくじ》を終えると、本館《ほんかん》に案内《あんない》してくださった。正式《せいしき》な男性会員しか入ることのできない場所《ばしょ》である。妻や通訳《つうやく》を残し、二人《ふたり》きりとなったが、博士は私を気づかうように、身《み》振《ぶ》り手振りをまじえて歓待《かんたい》してくださった。

一切《いっさい》の対談《たいだん》を終えるに際《さい》し、博士は「人類《じんるい》の道を開くのは、対話《たいわ》しかありません。あなたは若《わか》い。二十一世紀へ、世界の知性《ちせい》との対話を巻《ま》き起こしていただきたい」と言われた。最後《さいご》においとまする時、ご夫妻が路上《ろじょう》まで出て、私の車《くるま》を見送ってくださった光景《こうけい》は、瞼《まぶた》から離《はな》れない。

まもなく、私のもとに、博士から一枚のメモが届《とど》いた。そこには、世界の名だたる学識者《がくしきしゃ》の名が幾人《いくにん》も記《しる》されてあった。

「お忙《いそが》しいでしょうが、お会いしていただいても、決して時間の無駄《むだ》にはならない私の友人の名を記《しる》しておきました」との伝言《でんごん》を添《そ》えてくださった。押《お》しつけにならぬようにという、こまやかな配慮《はいりょ》がにじみでていた。

私たちの対談は、その後、往復書簡《おうふくしょかん》を経《へ》て、一九七五年三月、日本で上下二冊《さつ》の対談集（『二十一世紀への対話』）として結実《けつじつ》をみた。

その革表紙《かわびょうし》の特製本《とくせいぼん》を携《たずさ》えて、私はロンドンに向かった。博士《はかせ》はすでに病床《びょうしょう》に臥《ふ》されていたため、せめてもの思いを込め、秘書《ひしょ》の方を通《とお》して、お見舞《みま》いの伝言と対談集《たいだんしゅう》をお届《とど》けした。

この折《おり》、私は、博士から紹介《しょうかい》いただいたローマクラブの創設者《そうせつしゃ》アウレリオ・ペッチェイ氏とパリで対談を開始《かいし》した（対談集『二十一世紀への警鐘《けいしょう》』として発刊《はっかん》）。さらに、フランスの行動する文化人アンドレ・マルロー氏とも、対話《たいわ》を重《かさ》ねた（対談集『人間革命《かくめい》と人間の条件《じょうけん》』として発刊）。

トインビー博士の訃報《ふほう》が届《とど》いたのは、その年の十月のことであった。追善《ついぜん》の深き祈りを捧《ささ》げつつ、ヴェロニカ夫人に弔電《ちょうでん》を打った。

それから四半世紀――。トインビー博士の魂《たましい》を受け継《つ》ぎ、世界の識者《しきしゃ》との文明を結ぶ対談集も、三十冊を超《こ》えた（二〇〇二年当時。現在は四十六冊）。

博士との対談集は、英語はもとより、フランス語、ドイツ語、中国語、ヒンディー語、スワヒリ語など二十四言語《げんご》に翻訳《ほんやく》されている（現在は二十七言語)。

国連《こくれん》のガリ前事務総長や、チリのエイルウィン元大統領《もとだいとうりょう》、インドネシアのワヒド前大統領など、世界の指導者の方々から、「トインビー・池田対談《たいだん》は愛読書《あいどくしょ》です」との言葉をいただき、恐縮《きょうしゅく》することも少なくない。

マレーシア・ペラ州のラジャ皇太子《こうたいし》とお会いした時には、「トインビー博士のことで一番興味深《きょうみぶか》かった点は何ですか」と質問《しつもん》された。

私は率直《そっちょく》に申し上げた。

「自分の目で、自分の足で、経験《けいけん》で、事実を探求《たんきゅう》されていたことです」

トインビー博士は、一九五六年、ライフワークの『歴史《れきし》の研究《けんきゅう》』を改訂《かいてい》するための世界一周旅行《りょこう》の途上《とじょう》、二カ月間にわたって北海道から九州まで精力《せいりょく》的《てき》に各地を回《まわ》られている。自《みずか》ら現場に立って確《たし》かめる。大誠実《だいせいじつ》の歴史家《れきしか》は、第一級の言論人《げんろんじん》でもあった。

神武《じんむ》景気《けいき》にわく日本が、国連加盟《こくれんかめい》を果《は》たした年のことである。

「県紙《けんし》の灯を点《とも》せ！」との多くの千葉県民の熱《あつ》い声を受けて、千葉日報《にっぽう》が新たに誕生《たんじょう》したのは、くしくもトインビー博士《はかせ》が離日《りにち》された一カ月後のことであった（一九五七年一月）。

博士との対談《たいだん》でも、「民衆《みんしゅう》の権利《けんり》を守る報道《ほうどう》」「生命の尊厳《そんげん》という理念《りねん》に立つ報道」の重要性《じゅうようせい》を論《ろん》じあった。今も、胸に響《ひび》く博士の一言《ひとこと》がある。

「これまで人類《じんるい》の居住地《きょじゅうち》のうち、局地《きょくち》のみに、そしてその住民《じゅうみん》と政府《せいふ》のみに捧《ささ》げられてきた政治的献身《けんしん》は、いまや全人類と全世界、いなむしろ全宇宙《ぜんうちゅう》へと向けねばならない」

人類の歴史《れきし》を千年単位《たんい》で展望《てんぼう》してきた博士ならではのスケールの大きな発《はつ》言《げん》だった。偏狭《へんきょう》な国家《こっか》主義《しゅぎ》を超《こ》え、世界市民《しみん》として平和の対話《たいわ》を進めることを、博士は日本の私たちに期待《きたい》された。そして、その大いなる原点として、博士は、千葉の天地《てんち》の大先哲《だいせんてつ》に刮目《かつもく》されたのである。博士は言われた。

「日蓮《にちれん》の地平《ちへい》と関心は、日本を愛しつつも、自国《じこく》の海岸線《かいがんせん》に限定《げんてい》されるものではなかった。日蓮《にちれん》は、自分の思い描《えが》く仏教は、すべての場所《ばしょ》の人間の仲《なか》間《ま》を救済《きゅうさい》する手段《しゅだん》であると考えた」と。

地球《ちきゅう》は、ますます狭《せま》くなった。〝内《うち》なる精神のグローバル化〟が必須《ひっす》である。その頼《たの》もしい牽引力《けんいんりょく》が、千葉県ではないだろうか。

限りない潜在力の千葉

千葉は、「世界に開かれた玄関《げんかん》」である。

日本の港湾《こうわん》でトップクラスの貨物取扱量《かもつとりあつかいりょう》を誇《ほこ》る千葉港があり、世界と日本を結ぶ成田空港《なりたくうこう》がある。私も、海外《かいがい》五十四カ国・地域《ちいき》を訪問《ほうもん》してきたが、幾度《いくど》となく利用《りよう》させていただいている。

千葉には、限《かぎ》りない潜在力《せんざいりょく》がある。工業《こうぎょう》や商業《しょうぎょう》、農業《のうぎょう》や水産業《すいさんぎょう》など各産業がバランスよく発展《はってん》し、首都圏《しゅとけん》だけでなく、日本の支《ささ》えの存在だ。ラムサール条約《じょうやく》に登録《とうろく》された谷津干潟《やつひがた》など、豊《ゆた》かな自然にも恵《めぐ》まれている。

県民《けんみん》の平均年齢《へいきんねんれい》は、全国で四番目に若《わか》い。国際業務都市《こくさいぎょうむとし》を目指す「幕張新都心《まくはりしんとしん》」をはじめ、最先端《さいせんたん》の研究開発拠点《けんきゅうかいはつきょてん》「かずさアカデミアパーク」など、未来性《みらいせい》あふれるビジョンも広がっている。

都道府県立《とどうふけんりつ》の登録博物館数《とうろくはくぶつかんすう》も、千葉は日本一。近年《きんねん》、浦安市立中央図書館《うらやすしりつちゅうおうとしょかん》が、市民一人《しみんひとり》当たりの年間貸《ねんかんか》し出し数で、日本一となった。

万葉集《まんようしゅう》には「知波《ちば》」という古名《こめい》も綴《つづ》られている。まさに「知の波」を広げ、「文化の千葉《せんよう》」を茂《しげ》らせゆく「教育立県《りつけん》」といってよい。

そして何よりも、千葉には、国際交流《こうりゅう》の心が生き生きと躍動《やくどう》している。

とくに、全国の自治体《じちたい》としては初めて、ASEAN（東南アジア諸国連合《しょこくれんごう》）各国の駐日大使《ちゅうにちたいし》による委員会と提携《ていけい》を結んでいる。期待《きたい》はいやまして大きい。

トインビー博士《はかせ》も、今後の人類《じんるい》社会では、アジアが大きな役割《やくわり》を担《にな》うと予見《よけん》された。

青森　1994.8

歴史は「水底のゆるやかな動き」で築かれる

究極的《きゅうきょくてき》に歴史《れきし》をつくるものは「水底《みなぞこ》のゆるやかな動き」であるというのが、トインビー博士《はかせ》の持論《じろん》だった。民衆《みんしゅう》レベルでの〝草《くさ》の根《ね》交流《こうりゅう》〟こそ、アジアと世界の平和の基盤《きばん》となると、私は信ずる。

博士は、「自分の能力《のうりょく》を、一般大衆《いっぱんたいしゅう》への奉仕《ほうし》に使わず、ただ自分だけで、自分のためにだけ生きる」ことは、社会的な非行《ひこう》だとまで言い切っておられた。世の指導者たちが利己主義《りこしゅぎ》に走《はし》ってしまえば、社会は閉塞《へいそく》し、文明は衰退《すいたい》の道《みち》に進む――それが、エジプトやローマをはじめ、あらゆる文明を研《けん》究《きゅう》した博士の結論《けつろん》であった。

対談《たいだん》のさなか、イギリスと西ドイツの首脳会談《しゅのうかいだん》のニュースがテレビで流れた。その時、博士が言われた言葉が忘れられない。

「政治家同士《どうし》の話《はなし》は華《はな》やかにみえるが、一時的な現象《げんしょう》にすぎない。私たちの対談は地味《じみ》だとしても、後世《こうせい》の人類《じんるい》のためのものである。こうした『文明間の対話《たいわ》』こそが、永遠《えいえん》の平和の道をつくる」と。

目覚《めざ》めた世界市民《しみん》の連帯《れんたい》こそ、平和の力だ。

「人類《じんるい》の生存《せいぞん》に対する現代の脅威《きょうい》は、人間一人《ひとり》ひとりの心の中の革命的《かくめいてき》な変革《へんかく》によってのみ、取り除《のぞ》くことができる」これは、博士《はかせ》の遺言《ゆいごん》となった。

わが家も、千葉のいにしえの池田郷《いけだごう》（現・千葉市）と縁《えにし》が深いようである。本州《ほんしゅう》で最初《さいしょ》に太陽が昇《のぼ》る千葉の天地《てんち》――。その希望の千葉から二十一世紀の平和と繁栄《はんえい》の旭日《きょくじつ》が燦々《さんさん》と昇《のぼ》りゆくことを、私も心より願ってやまない。

千葉日報　2002年11月17日

憲法に「環境権」の規定を

「熱《ねつ》でうなされる人間と同じように、地球《ちきゅう》も今、体温《たいおん》が上がって苦《くる》しんでいます。宇宙《うちゅう》から見ると、雷雲《らいうん》と暴風《ぼうふう》が驚《おどろ》くほど多くなりました」

私が対談《たいだん》を進めてきたロシアの宇宙飛行士《ひこうし》セレブロフ氏の証言《しょうげん》である（対談集『宇宙と地球と人間』として発刊《はっかん》）。

四度の宇宙飛行で、オゾン層《そう》の破壊《はかい》も観測《かんそく》し、「地球の病《やまい》は人間生命の病の反映《はんえい》」と強く憂慮《ゆうりょ》されていた。

地球環境《かんきょう》の悪化《あっか》に歯止《はど》めをかけ、開発《かいはつ》との調和《ちょうわ》をどう図《はか》っていくか。環境問題《かんきょうもんだい》は、皆が当事者《とうじしゃ》である。草《くさ》の根《ね》の声の高まりこそ、政治を動かす力《ちから》となるはずだ。

ヨハネスブルク・サミット（二〇〇二年）の折、私たちも一つの提案《ていあん》を行った。国連《こくれん》の「持続可能《じぞくかのう》な開発《かいはつ》のための教育の十年」の制定《せいてい》である。

これは、二〇〇五年からの十年間で、国際《こくさい》社会全体で環境《かんきょう》教育の推進《すいしん》を目《め》指《ざ》すものである。

「持続可能な開発」は、二十一世紀のキーワードといってよい。この指標《しひょう》を明確《めいかく》に掲《かか》げた環境教育は、文明の在り方や人間の生き方を問い直《なお》し、地球《ちきゅう》的問題《もんだい》群の解決《かいけつ》へ、人類《じんるい》の連帯《れんたい》を形成《けいせい》してゆく基盤《きばん》となり得よう。

その普遍的《ふへんてき》な規範《きはん》として私は「地球憲章《けんしょう》」に注目《ちゅうもく》したい。ブラジルの地球サミットの事務局長《じむきょくちょう》を務《つと》めたストロング氏やゴルバチョフ元ソ連大統領《だいとうりょう》らが中心となり、世界の民意《みんい》を結集して作成した〝民衆《みんしゅう》の憲章〟である。

①生命共同体《きょうどうたい》への敬意《けいい》と配慮《はいりょ》。②生態系《せいたいけい》の保全《ほぜん》。③公正《こうせい》な社会と経済《けいざい》。④民主主義《みんしゅしゅぎ》、非暴力《ひぼうりょく》と平和。

この四つの総則《そうそく》から成《な》る憲章《けんしょう》は、環境《かんきょう》教育・平和教育の教材《きょうざい》としても最適《さいてき》と思う。

もはや、偏狭《へんきょう》な国家《こっか》主義《しゅぎ》の教育へ逆行《ぎゃっこう》は許《ゆる》されない。環境と平和の哲学《てつがく》を持った世界市民《しみん》が求められるからだ。

昨年（二〇〇一年）、開学《かいがく》したアメリカ創価大学の指針《ししん》の一つとして、私は「自然と人間の共生《きょうせい》の指導者育成」との言葉を贈《おく》った。

日本は「環境先進モデル国」に

二十一世紀の日本は、教育分野《ぶんや》をはじめ「環境先進《せんしん》モデル国」の道《みち》を歩《あゆ》むべきではないか。

その意味で、わが国の憲法《けんぽう》にも「環境権《かんきょうけん》」の規定《きてい》を新たに設《もう》けることが考えられるだろう。

憲法には、世界に誇《ほこ》る「平和的生存権《せいぞんけん》」が謳《うた》われている。その堅持《けんじ》とともに、いうなれば「共生的生存権《きょうせいてき》」として、環境権を確立《かくりつ》することが望《のぞ》ましい。

つまり、第九条に象徴《しょうちょう》される平和主義《しゅぎ》と並《なら》び立つものであり、同じ地球《ちきゅう》に生きゆく人々と連帯《れんたい》して、未来《みらい》の世代の健康や幸福へ責任《せきにん》を果《は》たすための理《り》念《ねん》である。

日本には、公害《こうがい》を克服《こくふく》する中で培《つちか》ってきた経験がある。環境問題《もんだい》に苦《くる》しむ国々と痛《いた》みを共有《きょうゆう》し、技術協力《ぎじゅつきょうりょく》や人材派遣《はけん》、研修制度《けんしゅうせいど》等を拡充《かくじゅう》するべきだろう。また、太陽光などのクリーン・エネルギーの導入《どうにゅう》や、エコ・ビジネス（環境産業《さんぎょう》）の奨励《しょうれい》に力《ちから》を入れ、アジア諸国《しょこく》との研究《けんきゅう》協力を誠実《せいじつ》に広げれば、信《しん》頼醸成《らいじょうせい》にもつながるに違いない。

アメリカの未来学者《がくしゃ》であるヘンダーソン博士《はかせ》は、私に言われた。

――日本には、まだまだ大きな潜在力《せんざいりょく》がある。とくに地球環境《ちきゅうかんきょう》に配慮《はいりょ》した「グリーン経済《けいざい》」の分野《ぶんや》でリーダーシップを発揮《はっき》して、その力《ちから》を開花《かいか》させていってほしい、と。

危機《きき》をチャンスに変える。ここに、人間の最大《さいだい》の価値《かち》創造《そうぞう》があろう。「浪費《ろうひ》型《がた》社会」から「循環型《じゅんかんがた》社会」へ――その挑戦《ちょうせん》から、日本再生《さいせい》の知恵《ちえ》と活力《かつりょく》が湧《わ》き出《い》ずることを、私は信じたい。

毎日新聞　２００２年８月19日

V

青年

青年と「平和」の道を

先日、近《ちか》しい埼玉の青年たちに一つの地球儀《ちきゅうぎ》を贈《おく》った。磁場《じば》を利用《りよう》した力《ちから》で回《まわ》り続《つづ》ける、不思議《ふしぎ》な「自転《じてん》する地球儀」である。

人類《じんるい》の教師ソクラテスは、「あなたは、どこの人か？」と尋《たず》ねられると、常に「私は世界の市民《しみん》である」と答えたと伝えられる。

わが青年たちは、「心のふるさとは埼玉」そして「国籍《こくせき》は地球」という壮《そう》大《だい》な気概《きがい》で、青春《せいしゅん》の悔《く》いなき充実《じゅうじつ》の軌道《きどう》を進んでいってほしい。そんな期待《きたい》を、私は地球儀《ちきゅうぎ》に託《たく》した。

一人《ひとり》の生命は、地球のあらゆる宝《たから》よりも尊《とうと》い。しかし、この生命を傷《きず》つけ奪《うば》う暴力《ぼうりょく》が、国際《こくさい》社会から地域《ちいき》や家庭《かてい》に至《いた》るまで、なんと野蛮《やばん》に渦巻《うずま》いていることか。

日本の軍国主義《ぐんこくしゅぎ》と戦《たたか》い、二年間、投獄《とうごく》された私の恩師《おんし》は、「いかなる理由《りゆう》があろうとも、人間を殺《ころ》すようなことだけは絶対《ぜったい》にしてはならない」と、峻《しゅん》厳《げん》に青年に教えられた。

「世界の民衆《みんしゅう》の生存《せいぞん》の権利《けんり》」を脅《おびや》かす原水爆《げんすいばく》の禁止《きんし》を、恩師が遺訓《いくん》の第一としたのも、この「殺すなかれ」との根本原則《こんぽんげんそく》からであった。

昨年（二〇〇六年）の秋、国際原子力機関《げんしりょくきかん》（ＩＡＥＡ）のエルバラダイ事《じ》務局長《むきょくちょう》（ノーベル平和賞受賞者）を、多くの青年と共にお迎《むか》えした。核兵器《かくへいき》という地球上で最《もっと》も手《て》強《ごわ》い凶器《きょうき》に挑《いど》み、軍縮《ぐんしゅく》と不《ふ》拡散《かくさん》のため、先頭《せんとう》に立って戦《たたか》う平和の英雄《えいゆう》である。

事務局長《じむきょくちょう》は、その信念を簡潔明瞭《かんけつめいりょう》に語《かた》られた。

「私が訴《うった》えたいのは、『すべての人間が人間として遇《ぐう》されないかぎり、世界平和は達成《たっせい》できない』ということです」

一人《ひとり》ひとりを「人間として」大切《たいせつ》にして、対話《たいわ》し、友情《ゆうじょう》を結んでいくこと――。この積《つ》み重《かさ》ねこそが、最《もっと》も地道《じみち》でありながら、最も確実《かくじつ》に平和を前進させゆく力《ちから》なのだ。

青年こそ人類の希望

埼玉県も、メキシコ、中国、オーストラリア、アメリカ、ドイツの五つの国の州《しゅう》や省《しょう》と「民間《みんかん》レベルの国際交流《こくさいこうりゅう》」を積極的《せっきょくてき》に推進《すいしん》されてきた。さらに、県内《けんない》二十六の市《し》と町《まち》が、十五カ国の四十七都市《とし》と姉妹《しまい》友好の提携《ていけい》を結ばれて

シンガポール　2000.11

いる。経済《けいざい》、農業《のうぎょう》、環境《かんきょう》、医療《いりょう》、教育など、交流《こうりゅう》も多岐《たき》にわたると伺《うかが》った。

エルバラダイ事務局長《じむきょくちょう》と私は、語《かた》り合った。

――絶対《ぜったい》に崩《くず》れないと思われていた「奴隷制度《どれいせいど》」なども、今では廃止《はいし》された。同じように、核兵器《かくへいき》も人間が作り出したものである以上《いじょう》、廃絶《はいぜつ》できないわけがない。

希望は青年にある。青年がグローバル化（地球《ちきゅう》一体化）のチャンスを生かして、連帯《れんたい》し行動《こうどう》してくれることこそが、未来《みらい》の鍵《かぎ》である、と。

戦争《せんそう》は、青年を手段《しゅだん》にし犠牲《ぎせい》にする。

平和は、青年を目的にし、育成することだ。

思えば、昭和二十年代の半ば、いまだ戦争の傷跡《きずあと》が癒《い》えぬ時代から、私は埼玉県に幾《いく》たびとなく足を運《はこ》んできた。知友《ちゆう》も多い。かつて中国へ徴兵《ちょうへい》された一家から、いま中国との友好に活躍《かつやく》するお孫《まご》さんが巣立《すだ》つなど、嬉《うれ》しいドラマを幾つも見つめている。

発展《はってん》めざましい埼玉県は、「生産年齢人口《せいさんねんれいじんこう》（十五歳《さい》～六十四歳）」の割合《わりあい》でも、日本一である。全国トップクラスの「若《わか》い県」でもある。

〝宇宙《うちゅう》を運行《うんこう》させ、地球《ちきゅう》を回《まわ》す力《ちから》と同《おな》じ力が、君《きみ》の中にもある〟*1とは、喜《き》劇王《げきおう》チャップリンが若き世代に語《かた》りかけた励《はげ》ましの名句《めいく》であった。

活力《かつりょく》みなぎる「人材立県《りつけん》」の埼玉の青年と共に、新時代の平和の大道《だいどう》をと、私は一段と深く決意する昨今《さっこん》である。

埼玉新聞　２００７年９月26日

＊1　朝日ビデオライブラリー『ライムライト』（日本語字幕・清水俊二、朝日新聞社）を参照

青年たちよ！　もっと夢を持て

「夢《ゆめ》を持つことを忘れないで！」

こう呼びかけるのは、二〇〇一年、日本で二人《ふたり》目の「女性宇宙飛行士《うちゅうひこうし》」に認定《にんてい》された山崎直子《なおこ》さんである。千葉県の出身《しゅっしん》だ。

宇宙飛行士を目指したのは、中学三年生のときという。アメリカのスペースシャトル・チャレンジャー号の打ち上げをテレビで見ていた。ところが、発射直後《はっしゃちょくご》に、爆発《ばくはつ》——。

尊《とうと》き犠牲《ぎせい》となった宇宙飛行士《うちゅうひこうし》に、一人《ひとり》の女性教師がいた。宇宙から授業《じゅぎょう》をすることが、大《おお》きな夢《ゆめ》であった。それを知った山崎さんは、「私が、その夢を受け継《つ》ごう！」と思い立った。心に熱《あつ》い火が点《とも》った。

その後、猛勉強《もうべんきょう》にも、厳《きび》しい訓練《くんれん》にも耐《た》え抜《ぬ》いた。大いなる夢に生きゆく青春《せいしゅん》は、千葉の大地《だいち》から大宇宙の高《たか》みへ羽《は》ばたいていったのである。

私の人生の師も、よく、「青年は、夢が大きすぎるくらいでいい。初めから望《のぞ》みが小さくては、何もできないからだ」と語《かた》っていた。

夢を大きく持って、走れるところまで走る。その分《ぶん》だけ、自分自身の世界を大きく広げることができる。

自分を卑下しない生き方を

今、若《わか》い世代に「何をやっていいのかわからない」「やりたいことがない」

という悩《なや》みが多いと聞く。

先日、胸をえぐられる調査《ちょうさ》結果があった。晴《は》れて成人式を迎《むか》える人に「今の自分をお金に換算《かんさん》するといくらか」と尋《たず》ねたものだ。

一番多かったのは「ゼロ円」。十三・五パーセントを占《し》めた。*1

もちろん、この数字だけで、今の若者《わかもの》の自己《じこ》評価《ひょうか》を決めることはできまい。「ゼロ円」の答えには、人間の価値《かち》をお金で計《はか》ることへの抗議《こうぎ》を込めた人もいるかもしれない。

それはそれとして、私が言いたいのは、決して「自分で自分を卑下《ひげ》してはいけない」ということである。「自分はダメな人間だ」などと、絶対《ぜったい》に思ってはいけないし、思う必要もない。

十三世紀、千葉県に誕生《たんじょう》した大哲学者《だいてつがくしゃ》は、「たとえ一日でも生きることは、千万両《せんまんりょう》の黄金よりも価値がある」と示された。一人《ひとり》の生命は、全宇宙《ぜんうちゅう》の財宝《ざいほう》よりも尊《とうと》い存在なのである。

以前《いぜん》、私は、モスクワ大学前総長《ぜんそうちょう》のログノフ博士《はかせ》と対談集《たいだんしゅう》（『科学と宗教』）を発刊《はっかん》した。その中で博士は、「人間の脳《のう》が織《お》りなすネットワークの組み合わせは、宇宙《うちゅう》の中の物質《ぶっしつ》をつくる粒子《りゅうし》の総数《そうすう》より大きい」と指摘《してき》された。若《わか》き頭脳《ずのう》には、宇宙大の創造力《そうぞうりょく》が秘《ひ》められている。

心の力は無限大

私と妻の大切《たいせつ》な友人の、ローザ・パークスさんは、二月の四日（二〇〇五年）で九十二歳《さい》になられた。

パークスさんは、アフリカ系《けい》アメリカ人。若き日から、理不尽《りふじん》な人種差別《じんしゅさべつ》と戦《たたか》い抜《ぬ》いてこられた「人権《じんけん》の闘士《とうし》」である。

かつて、アメリカ南部《なんぶ》の町《まち》では、レストランも、待合室《まちあいしつ》も、バスの座席《ざせき》も、映画《えいが》を観《み》るのも、子どもたちの公園《こうえん》の水飲《みずの》み場《ば》さえも、「白人用《はくじんよう》」と「黒人用《こくじんよう》」

に分けられ、黒人《こくじん》はいつも一段下に置《お》かれてきたのである。抗議《こうぎ》をすれば、袋叩《ふくろだた》きにあうことも珍《めずら》しくなかった。「おまえなんか、何をやってもムダさ」「どうせ、できっこない」「逆《さか》らうとためにならないぞ」

どこへ行っても、やる気を奪《うば》われ、劣等感《れっとうかん》を抱《いだ》かせられる現実ばかりであった。

しかし、パークスさんは、お母さんが常に力強く励《はげ》ましてくれたという。

「〝人間は苦《くる》しみに甘《あま》んじなければならない〟という法律《ほうりつ》はないんだよ。自《じ》尊心《そんしん》を持ちなさい。人から尊敬《そんけい》される人間になりなさい。そして、人を尊敬していきなさい」

この母から学んだ勇気《ゆうき》と誇《ほこ》りを胸に、パークスさんは信念の道《みち》を進んだ。

一九五五年の十二月、仕事《しごと》からの帰り道のことである。バスで「白人《はくじん》に座《ざ》席《せき》を譲《ゆず》れ」と強要《きょうよう》された彼女は、毅然《きぜん》と拒否《きょひ》した。

ローザ・パークス氏と会見（1993.1　アメリカ・ロサンゼルス）

待っていたのは不当《ふとう》な逮捕《たいほ》である。しかし彼女は怯《ひる》まない。その勇気《ゆうき》に続けと、町全体でバスのボイコット運動が起こった。

抗議《こうぎ》の波《なみ》は、盟友《めいゆう》キング博士《はかせ》らを先頭《せんとう》に二十五万人が参加した「ワシントン大行進《だいこうしん》」へと広がっていった。そして、ついに差別撤廃《さべつてっぱい》を勝ち取る日を迎《むか》えたのである。

特別な人ではない。デパートの店員《てんいん》をしていた平凡《へいぼん》な女性である。だが、その勇敢《ゆうかん》なる一人《ひとり》の「ノー」の一言《ひとこと》が、人々の心を変え、世界を揺《ゆ》り動かしたのだ。

パークスさんは、私に語《かた》っておられた。

「私たちは、人種差別《じんしゅさべつ》はきっとなくなると信じていました。そして、必ず、そうなると望《のぞ》んだがために、現実に変化を起こすことができたのです」

心の力《ちから》は無限大《むげんだい》である。

世界は広く大《おお》きい。宇宙《うちゅう》はさらに広くて大きい。しかし人間の心は、さらにさらに広く大《おお》きいのだ。

人に何と言われようと、「必《かなら》ず自分はできるんだ！」と信じることである。「決意あるところ道《みち》あり」。勇気《ゆうき》を出して、自分が変われば、周《まわ》りも変わる。すべてが変わる。勝利《しょうり》の道は、必ず開かれる。

一歩でも前進することが大切

わが家のルーツは千葉県であるが、東京に移《うつ》ってからは、大森《おおもり》で大規模《だいきぼ》に海苔《のり》を作っていた。しかし私の少年時代は、父が病《やまい》に伏《ふ》し、働《はたら》き手であった四人の兄たちは次々に戦争《せんそう》にとられ、生活は困窮《こんきゅう》するばかりであった。それでも、母は「うちは貧乏《びんぼう》の横綱《よこづな》だよ」と朗《ほが》らかだった。

私は、少しでも家計《かけい》を楽にしたいと、小学《しょうがく》六年生から三年間、新聞配達《はいたつ》をした。

冬の朝などは辛《つら》かった。手の指《ゆび》が痛《いた》いほど、かじかみ、息《いき》も凍《こご》える。途中《とちゅう》でイヤになる時も、「次《つぎ》の一軒《いっけん》までは頑張《がんば》ろう」、そしてまた「次の一軒まで」と、自分で自分を励《はげ》ましながら、懸命《けんめい》に配《くば》った。終えるころには、体《からだ》も温《あたた》まり、「きょうも一日やりきった」と、気分《きぶん》は爽快《そうかい》であった。

もともと体は強くなかった私が、世界を駆《か》け巡《めぐ》れるようになったのも、この新聞配達《はいたつ》で鍛《きた》えたおかげであろう。一つの仕事をやり通すなかで、私は多くのことを学び、つかんだ。

「今、自分が何をしたらいいか、わからない」という人は、まず何か一つ、「やり切った」といえるものをつくったらどうだろうか。

朝、登校《とうこう》したら「おはよう」と声をかける。昼休《ひるやす》みに十分でも本を読む。夕食《ゆうしょく》のあとかたづけを手伝う等々、身近《みぢか》にできることからでもいいと思う。

人と比《くら》べる必要《ひつよう》はない。昨日の自分と比《くら》べて、どうかだ。一歩でも、一ミリでも、前へ踏《ふ》み出した人は、もう勝っているのである。

苦労こそ人生の宝

十代は、人間の「根《ね》っこ」をつくる時である。

野菜《やさい》の生産高《せいさんだか》が「連続《れんぞく》日本一」の千葉県。その豊《ゆた》かな大地で活躍《かつやく》する農村《のうそん》の青年から、キャベツの「苗《なえ》づくり」の苦心《くしん》を聞いたことがある。

たとえば、与《あた》える水はできるだけ少なくするという。それは、なぜか。その方《ほう》が、自分の力《ちから》で土から水分《すいぶん》を吸収《きゅうしゅう》しようと、しっかり「根《ね》っこ」を張《は》っていくからである。

また、冬でも、苗にビニールなどは張らない。目の粗《あら》い寒冷紗《かんれいしゃ》を二枚かけるだけ。冷気《れいき》にさらされてこそ、実《み》のしまったキャベツが育つからだ。

人間も、同《おな》じであろう。何もかも恵《めぐ》まれ、甘《あま》やかされていては、人格《じんかく》の芯《しん》は鍛《きた》えられない。

青春時代、貧《まず》しいことは、むしろ誇《ほこ》りである。労苦《ろうく》こそが、宝《たから》なのである。

終戦後《しゅうせんご》まもなく、私が十七歳《さい》の時であった。

食糧《しょくりょう》の不足《ふそく》が深刻《しんこく》で、人びとが買い出しに奔走《ほんそう》した時代である。私も満員《まんいん》列車《れっしゃ》に乗って、美しい田園《でんえん》と青い海が広がる幕張《まくはり》へ行った。そこで、お会いした農家《のうか》の婦人が、じつに親切《しんせつ》な方であった。

このお宅《たく》でも、戦地《せんち》へ行ったまま帰らぬ息子《むすこ》さんを、待っておられるように見えた。わが家も長兄《ちょうけい》が戦死《せんし》である。母たちの悲《かな》しみは、あまりにも深かった。けなげな庶民《しょみん》が、幸福に、そして平和に暮《く》らしていける世界を必《かなら》ず創《つく》らねばならないと、若《わか》き私は深く心に刻《きざ》んだ。

強き精神を鍛える良書の力

私は、パグウォッシュ会議の名誉会長であるロートブラット博士《はかせ》とも、対《たい》話《わ》を重《かさ》ねてきた（対談集《たいだんしゅう》『地球《ちきゅう》平和への探求《たんきゅう》』として発刊《はっかん》）。

博士は、アインシュタイン博士らの心を受け継《つ》ぎ、戦争《せんそう》と核兵器《かくへいき》の廃絶《はいぜつ》のために戦《たたか》い抜《ぬ》いてこられた。今年（二〇〇五年）、九十七歳《さい》になられる。

この博士が、少年の日のかけがえのない思い出として振《ふ》り返っておられたことがある。それは「読書《どくしょ》」の喜びである。

博士はポーランドの工場主《こうじょうぬし》の家に生まれた。第一次世界大戦《たいせん》が勃発《ぼっぱつ》したのは、五歳の時である。一家は家財《かざい》をすべて奪《うば》われ、没落《ぼつらく》。一日にパンが二切《ふたき》れだけという、どん底《ぞこ》の生活を強《し》いられた。

そんな悲惨《ひさん》な時代だからこそ、若《わか》き博士は良書《りょうしょ》を次々に読破《どくは》して、「夢」を広げていったという。そして、働《はたら》きながら苦学《くがく》を続《つづ》け、世界的な科学者《かがくしゃ》となっていかれた。

学ぶことは、青年として最《もっと》も崇高《すうこう》な権利《けんり》であり、喜びである。

強い心があれば、どんな厳《きび》しい現実にも押《お》しつぶされない。新たな理想《りそう》の世界に向かって、自分自身を跳躍《ちょうやく》させることができる。そのバネとなるのが、読書《どくしょ》であり、勉学《べんがく》である。

身近な人を大切に

千葉県が掲《かか》げる教育長期《ちょうき》ビジョン「夢《ゆめ》・未来《みらい》二〇二五」では、二十年後の社会の一つの展望《てんぼう》として、「責任《せきにん》ある『地球市民《ちきゅうしみん》』社会」を想定《そうてい》されている。

私も十年ほど前（一九九六年）、米国《べいこく》コロンビア大学ティーチャーズ・カレッジで「地球市民」の教育をテーマに講演《こうえん》し、その要件《ようけん》として、「智慧《ちえ》」と「勇気《ゆうき》」と「慈悲《じひ》」の三点に言及《げんきゅう》した。

先日、ベラルーシ共和国《きょうわこく》のミンスク国立言語《こくりつげんご》大学のパラノヴァ総長一行《そうちょういっこう》が、私の創立《そうりつ》した創価学園を訪問《ほうもん》してくださった。そのとき、生徒《せいと》の質問《しつもん》に答えて、総長は言われた。

東京　2001.2

「世界平和を愛する心は、お父さん、お母さんを愛する心から始《はじ》まります」その通《とお》りと思う。故郷《こきょう》・安房《あわ》をこよなく愛された古《いにしえ》の大哲人《だいてつじん》の教えにも、「親孝行《こうこう》ができない時は、一日に二、三度、笑顔《えがお》を見せてあげなさい」とある。「地球市民《ちきゅうしみん》」といっても、遠《とお》くの話ではない。身近《みぢか》な人を大事にし、暴力《ぼうりょく》やいじめを絶対《ぜったい》に許《ゆる》さないことが、戦争《せんそう》をなくすための第一歩となる。人を嫉《ねた》んだり、ウソをついたりせず、友情と信頼《しんらい》を大切《たいせつ》にすることが、平和の文化を創《つく》る出発《しゅっぱつ》である。

自ら希望を生み出す人材に

中国文学の巨人《きょじん》・郭沫若《かくまつじゃく》先生は、一九二八年から十年間、市川市に住まわれた。

郭先生の戯曲《ぎきょく》の一節《いっせつ》に、「諸君《しょくん》は新しい太陽をお望《のぞ》みですか、それなら御自分で創《つく》ってください」[*2]と。

青年こそ、新しい太陽だ。希望がなければ、自分で希望を創《つく》ればよい。闇《やみ》が深いほど、自分が光り輝《かがや》いて、人びとを照《て》らし、社会を照らし、世界を照らしていくことだ。

千葉日報 2005年3月16日

＊1 セイコーによるアンケート（朝日新聞 2005年1月9日付朝刊）
＊2 郭沫若選集刊行委員会編『郭沫若詩集』（須田禎一訳、雄渾社）

二十一世紀人　共生の心

「山は人の心を啓発《けいはつ》する天の師である*1」

こう論《ろん》じたのは戦時中《せんじちゅう》、軍国主義《ぐんこくしゅぎ》と闘《たたか》い獄死《ごくし》した、信念の大教育者であった。

昨年（二〇〇七年）の秋、久方《ひさかた》ぶりに新幹線《しんかんせん》の車窓《しゃそう》から、間近《まぢか》に富士を仰《あお》いだ。夕暮《ゆうぐ》れの茜雲《あかねぐも》を従《したが》えて、まさに天の師の如《ごと》く王者《おうじゃ》の風格《ふうかく》で聳《そび》え立っていた。

世界から来日《らいにち》する友人たちも、富士山を見ることを何よりの喜びとし、幸《こう》運《うん》としている。富士は日本の誇《ほこ》りであり宝《たから》である。

「風は吹けども、山は動かず」

昨年の四月、「氷《こおり》を溶《と》かす旅《たび》」で来日《らいにち》された中国の温家宝総理《おんかほうそうり》は、国会演《こっかいえん》説《ぜつ》で、この諺《ことわざ》を引かれた。紆余曲折《うよきょくせつ》があっても、中日人民《じんみん》の友好の土台《どだい》は動《どう》揺《よう》することがないと力説《りきせつ》されたのである。

さまざまに困難《こんなん》な風が吹こうとも、民衆《みんしゅう》の交流《こうりゅう》が揺《ゆ》るがぬ限り、両国《りょうこく》の友好は微動《びどう》だにすることはない。時代を創造《そうぞう》する主体《しゅたい》は民衆であるからだ。

温総理からの要請《ようせい》をいただき、私も約三十分間、都内《とない》で会見《かいけん》した。飾《かざ》らぬ語《かた》り口《くち》。「平民《へいみん》の総理」と慕《した》われる。日本でも警備上《けいびじょう》の配慮《はいりょ》を振《ふ》り切って朝のジョギングに出られ、笑顔《えがお》で市民《しみん》の中に飛《と》び込んでいかれた。

「温総理は、周恩来《しゅうおんらい》総理と同じく、天津《てんしん》の南開学園《なんかいがくえん》の出身《しゅっしん》ですね」

私の言葉に、温総理《おんそうり》の眼《め》が嬉《うれ》しそうに光《ひか》った。「人民《じんみん》の中へ。人民と共に」。これは温総理が尊敬《そんけい》する周恩来《しゅうおんらい》総理のモットーである。

あるとき、周総理は、地方に派遣《はけん》された若《わか》い医師《いし》に、その地域《ちいき》の人々が日頃《ひごろ》、どんな病気に罹《かか》る傾向《けいこう》があるかを尋《たず》ねたという。医師は答えられない。今まで調《しら》べたことさえなかったからだ。

周総理は、こうした問いかけを通《とお》して、指導者自身がその足で歩き、その目で見て、最前線《さいぜんせん》の声をよく聞き、大衆《たいしゅう》の現実を理解《りかい》してこそ「人民への奉《ほう》仕《し》」が果《は》たせることを教えたのである。この「責任《せきにん》」と「慈愛《じあい》」が、ますます指導者に求められる時代だ。

一九七四年の師走《しわす》、厳寒《げんかん》の北京《ペキン》の病院《びょういん》で私を迎《むか》えてくださった周総理は、世界の民衆《みんしゅう》が平等《びょうどう》に力《ちから》を合わせて助け合う二十一世紀を待望《たいぼう》されていた。若《わか》き日に日本へ留学《りゅうがく》された思い出も語《かた》っておられた。周総理も富士と桜がお好きであった。このとき総理が強く望《のぞ》まれた「日中平和友好条約《じょうやく》」は、今年で

中国の温家宝首相と会見（2007.4　東京）

締結《ていけつ》三十周年となる。

今や中国は、日本の最大の貿易相手国《ぼうえきあいてこく》である。日本の未来《みらい》は中国と直結《ちょっけつ》する時代に入ったといってよい。

互いに学び、互いを利する

「ものづくりの県」の伝統《でんとう》が光る静岡県でも、草の根の市民《しみん》や地元《じもと》の企業《きぎょう》などが尊《とうと》き努力《どりょく》を積《つ》み重《かさ》ね、アジアと日本の交流《こうりゅう》に寄与《きよ》されている。

静岡新聞では、年頭《ねんとう》から「新たな飛躍《ひやく》への道《みち》」と題するインタビューが連《れん》載《さい》された。ある企業の代表は「人間も会社も休むことは退化《たいか》を意味する。一《いっ》刻《こく》でも一旦停止《いったんていし》はしない」と述べておられた。まことに建設《けんせつ》は死闘《しとう》である。

国と国との交流も、山積《さんせき》する課題《かだい》を一つ一つ粘《ねば》り強く打開《だかい》して、信頼《しんらい》を弛《たゆ》みなく築《きず》き上げていく以外《いがい》にあるまい。明年（二〇〇九年）の三月に開港《かいこう》する「富士山静岡空港《くうこう》」は、すでにソウル便の就航《しゅうこう》が決定した。中国への定期《ていき》便《びん》も有望視《ゆうぼうし》されていると伺《うかが》った。

世界の憧《あこが》れの富士の名を冠《かん》した新空港《しんくうこう》を拠点《きょてん》とし、静岡県が、アジアの友《ゆう》誼《ぎ》と共生《きょうせい》の新時代へ、挑戦《ちょうせん》と創造《そうぞう》の翼《つばさ》を広げ、大いに飛翔《ひしょう》されゆくことを期《き》待《たい》したい。

静岡県では、環境問題《かんきょうもんだい》についても、中国と手を携《たずさ》えながら、多角的《たかくてき》に交流《こうりゅう》が進められている。

一昨年（二〇〇六年）の秋、私も「日中環境パートナーシップ」の構築《こうちく》を、両国《りょうこく》の識者《しきしゃ》と青年たちの前で提案《ていあん》した。お隣《となり》の韓国《かんこく》とも協力《きょうりょく》して、環境汚染《おせん》の防止《ぼうし》へ英知《えいち》を結集していくことを訴《うった》えたのである。

東洋人《とうようじん》の私たちは「互《たが》いを愛し、互いを利《り》する」（墨子《ぼくし》）という精神性を深く共有《きょうゆう》している。未来《みらい》へ伝えていきたい、貴重《きちょう》な文化の遺産《いさん》である。

私が対談集《たいだんしゅう》（『対話《たいわ》の文明』）を発刊《はっかん》した、中国思想研究《しそうけんきゅう》の第一人者である、ハーバード大学のドゥ・ウェイミン教授《きょうじゅ》は鋭《するど》く、指摘《してき》されていた。

「学ぶことをやめ、他人に教えるのだとの高慢《こうまん》な態度《たいど》をもつ文明や人間は、必《かなら》ず衰退《すいたい》していくものです」と。

とりわけ、日中韓《にっちゅうかん》はお隣同士《となりどうし》。仲良《なかよ》く学び合い、支《ささ》え合うことが、平和と繁栄《はんえい》の土台《どだい》である。国際《こくさい》社会でも、地域社会でも、方程式《ほうていしき》は同じだ。

この夏、「一つの世界、一つの夢《ゆめ》」のスローガンのもと、注目《ちゅうもく》の北京《ペキン》オリンピックが開催《かいさい》される。スポーツと友情の大祭典《だいさいてん》から、世界を一つに結びゆく平和の大潮流《だいちょうりゅう》が生まれることを祈りたい。

歴史を鑑に未来を開く

三十六年前（一九七二年）、私が対談《たいだん》したトインビー博士《はかせ》は、明快《めいかい》に語《かた》られた。

「日本と中国《ちゅうごく》の歴史的な文化・社会面の絆《きずな》こそ、最《もっと》も重要《じゅうよう》であると、確信《かくしん》します」

人類《じんるい》全体の未来《みらい》を展望《てんぼう》しつつ、日中《にっちゅう》友好の意義《いぎ》を強調《きょうちょう》されていたことが、私の胸から離《はな》れない。

今、日本と中国の有識者《ゆうしきしゃ》による「歴史共同研究《れきしきょうどうけんきゅう》」が進められている。二〇〇六年十一月以来《いらい》、両国《りょうこく》を往復《おうふく》する形で会合が重《かさ》ねられ、今年（二〇〇八年）の六月までに報告書《ほうこくしょ》をまとめることが目指《めざ》されている。

歴史認識《にんしき》における溝《みぞ》は両国の関係を悪化《あっか》させ、対立《たいりつ》を深める原因《げんいん》ともなってきた。それだけに、今回の共同研究を契機《けいき》に、互《たが》いの溝を埋《う》め合う対話《たいわ》の努力《どりょく》が定着《ていちゃく》していくことを願ってやまない。

「『他者《たしゃ》の立場《たちば》に身《み》を置《お》いて考える』対話を通《つう》じてのみ、真相《しんそう》を求め、真理《しんり》を究《きわ》めることができる」

これは中国を代表する歴史学者《がくしゃ》の章開沅《しょうかいげん》教授《きょうじゅ》の信条《しんじょう》である。辛亥革命《しんがいかくめい》など中国の近現代史《きんげんだいし》が専門《せんもん》で、「史学大師《しがくだいし》」とも讃《たた》えられる方である。初めてお会いしたのは、日中《にっちゅう》の歴史共同研究《れきしきょうどうけんきゅう》が始まる一年前であった。

自《みずか》らの歩《あゆ》んできた道《みち》と真摯《しんし》に向き合うことのできない人間は、無軌道《むきどう》な生き方となる。国家《こっか》も同じく、歴史《れきし》を蔑《ないがし》ろにしてしまえば、隣国《りんごく》の信頼《しんらい》は得られず、その繁栄《はんえい》も永続《えいぞく》しない——それが私たちの一致《いっち》した意見だった。

「二千年を超《こ》える中日関係《ちゅうにちかんけい》の歴史は友好交流《こうりゅう》が主流《しゅりゅう》です。一衣帯水《いちいたいすい》の両国《りょうこく》は、和《わ》をもってすれば共《とも》に栄《さか》え、争《あらそ》えば共に傷《きず》つく」。

この章教授《しょうきょうじゅ》の主張《しゅちょう》は、日中の友好を願う人々に共通《きょうつう》する「心」であろう。

留学生が国の未来を支える

明治から昭和にかけて、幾多《いくた》の中国人留学生《ちゅうごくじんりゅうがくせい》の教育に心血《しんけつ》を注《そそ》がれた松本亀次郎《かめじろう》先生は、静岡の出身《しゅっしん》であられた。

日清戦争《にっしんせんそう》に続《つづ》き、日露《にちろ》戦争でも勝利《しょうり》を収《おさ》めた当時の日本は、中国《ちゅうごく》やアジアに対して尊大《そんだい》な姿勢《しせい》を強めていた。そうした風潮《ふうちょう》に対して、松本先生は、「彼を知らず己《おの》れを知らぬ者ほど愚《おろ》かな者はない。己惚《うぬぼれ》と慢心《まんしん》は失敗《しっぱい》を招《まね》く基《もと》だ」*2と警鐘《けいしょう》を鳴《な》らし続けた。

松本先生は、留学生《りゅうがくせい》は将来《しょうらい》、その国の指導者になるのだから、格別《かくべつ》に敬意《けいい》をもって接《せっ》し、社会をあげて大切《たいせつ》にせねばならないと訴《うった》えている。そして自《みずか》ら慈父《じふ》の如《ごと》く、生活に慣《な》れない留学生たちを、一人《ひとり》ひとり守り慈《いつく》しんでいかれた。

そのなかから、文豪《ぶんごう》・魯迅《ろじん》や周恩来総理《しゅうおんらいそうり》をはじめ、錚々《そうそう》たる近代《きんだい》中国の英傑《えいけつ》が羽《は》ばたいていったのである。この香《かぐわ》しき友好の史実《しじつ》は、中国でも出版《しゅっぱん》され、深く広く読み継《つ》がれている。

「真《しん》の提携《ていけい》は相知《あいし》り相信ずる者の間《あいだ》にのみ行わるべきもの」*3——静岡が生んだ大教育者の信念《しんねん》の叫《さけ》びは、日中友好《にっちゅう》の不朽《ふきゅう》の指針《ししん》といってよい。

「相知《あいし》り相信ずる」うえで大切《たいせつ》なのは、過去の良い面《めん》、悪い面をすべて含《ふく》めて、「歴史《れきし》を鑑《かがみ》として学ぶ姿勢《しせい》」を失わないことではないだろうか。

一九八〇年春、私が熱海《あたみ》市で出会いを結んだ中国の作家《さっか》・巴金《ぱきん》先生が喝破《かっぱ》されたように、「『過去』を忘れないでいてこそ、初《はじ》めて、『未来《みらい》』の主人《しゅじん》になれる」[*3]からである。

歴史とは、単なる過去の記録《きろく》にとどまるものではない。それは幾多《いくた》の歳月《さいげつ》を重《かさ》ねて昇華《しょうか》された、人類《じんるい》の智慧《ちえ》の宝庫《ほうこ》である。その豊《ゆた》かな智慧の光をもってこそ、現在を再考察《さいこうさつ》し、未来を正《ただ》しく照《て》らしていくことができる。

二年前（二〇〇六年）、全国の高校で十万人以上もの生徒が世界史の授業《じゅぎょう》をきちんと受けていない〝履修漏《りしゅうも》れ〟の問題が顕在化《けんざいか》した。次代《じだい》を担《にな》う若者《わかもの》が歴史を学ぶ環境《かんきょう》を整備《せいび》していくことは、喫緊《きっきん》の課題《かだい》だ。

幕末《ばくまつ》、伊豆半島《いずはんとう》の戸田村《へだ》（現・沼津市《ぬまづし》戸田）の人々は、ロシア使節《しせつ》プチャーチン一行《いっこう》と麗《うるわ》しき人間の交流《こうりゅう》を刻《きざ》んだ。この静岡が誇る無名《むめい》の「友情の英雄《えいゆう》」たちの物語《ものがたり》を、私は全国の青年たちに紹介《しょうかい》したことがある。若《わか》き瞳《ひとみ》は生き生きと輝《かがや》いた。民衆史《みんしゅうし》から掘《ほ》り起こすべき魂《たましい》の劇《げき》は、決して尽《つ》きることがない。

松本先生の故郷《こきょう》である掛川市《かけがわし》では、地元《じもと》の中学生らが訪中《ほうちゅう》し、先生の足跡《そくせき》をたどることが伝統《でんとう》になっていると伺《うかが》った。希望光る、意義《いぎ》深き取り組みである。

「もともと地上《ちじょう》には道《みち》はない。歩《ある》く人が多くなれば、それが道になるのだ」*5

――松本先生の教え子でもあった魯迅《ろじん》の言葉である。日本の若き世代が歴史《れきし》と向き合い、平和と友好の大道《だいどう》を闊歩《かっぽ》しゆくことを、先人《せんじん》たちも笑顔《えがお》で見守っているにちがいない。

日中平和友好条約三十周年

「今日《こんにち》の中日関係《ちゅうにちかんけい》は、前人《ぜんじん》の事業《じぎょう》を引《ひ》き継《つ》ぎ、未来《みらい》に発展《はってん》の道を開くという重大《じゅうだい》な段階《だんかい》に入りました」

「いかに後継者《こうけいしゃ》をつくり、世々《せせ》代々《だいだい》に友好を伝《つた》えていくかが大事だと思います」

中国の胡錦濤《こきんとうこつか》国家主席《しゅせき》は力強く語《かた》られた。一九九八年の四月、東京で再会《さいかい》した折のことである（当時は副主席）。

未来は、すべて青年のものだ。未来は、すべて青年に託《たく》す以外《いがい》ない。

だからこそ、青年を大切《たいせつ》にし、青年を伸《の》ばし、青年を全力《ぜんりょく》で応援《おうえん》していくのだ。日中両国《にっちゅうりょうこく》の友好も、その焦点《しょうてん》は「青年」にある。

思えば、私が胡主席と初《はじ》めてお会いしたのも、一九八五年、中国青年代表団の団長《だんちょう》として来日《らいにち》された時のことであった。

かつて、周総理《しゅうそうり》は三十歳《さい》も年下の私に、「あなたが若《わか》いからこそ大事につきあいたい」と言ってくださった。その真情《しんじょう》は、今なお胸に温《あたた》かい。

私も、中国の次代《じだい》を担《にな》う青年リーダーの方々を大誠実《だいせいじつ》でお迎《むか》えしたいと、地方出張《ちほうしゅっちょう》の予定《よてい》を変更《へんこう》し、急きょ《きゅう》、東京に戻《もど》って歓迎《かんげい》したのである。

そのことを胡主席《こしゅせき》は覚《おぼ》えてくださっていた。十三年ぶりの再会《さいかい》の席上《せきじょう》、先方《せんぽう》から話題《わだい》にされ、恐縮《きょうしゅく》した次第《しだい》である。

昨年（二〇〇七年）の暮《く》れ、福田首相《しゅしょう》が訪中《ほうちゅう》した際《さい》、両国政府《りょうこくせいふ》は青少年交流《こうりゅう》に関する共同文書《きょうどうぶんしょ》を取り交《か》わした。

今年を「日中《にっちゅう》青少年友好交流年」と定《さだ》め、双方《そうほう》が年間四千人規模《きぼ》の青少年の相互訪問《そうごほうもん》を実現《じつげん》すべく努力《どりょく》していくことが決まったのである。

戦後《せんご》、日本の大学で初《はじ》めて中国の公費留学生《こうひりゅうがくせい》を創価大学に迎え、青年に光を当てた交流を重《かさ》ねてきた一人《ひとり》として、まことに嬉《うれ》しい構想《こうそう》だ。

青年交流こそが万代の礎

日中関係《にっちゅうかんけい》は、単に両国の問題《もんだい》にとどまらない。アジア地域《ちいき》、さらには世界の平和と安定《あんてい》に大きな影響《えいきょう》を与える重要《じゅうよう》な関係である。

政治は変化《へんか》する。経済《けいざい》にも浮《う》き沈《しず》みがある。友好に永続性《えいぞくせい》をもたらすのは、「青年交流《こうりゅう》」であり、「民衆交流《みんしゅう》」であり、「文化・教育交流」である。

この点、静岡県は、日中両国《りょうこく》の「青年・民衆交流」に重要《じゅうよう》な役割《やくわり》を果《は》たしてこられた。

一九八二年に中国の浙江省《せっこうしょう》と友好提携《ていけい》を結び、文化、経済、教育、スポーツなど幅広《はばひろ》い分野《ぶんや》の交流を、地道《じみち》に堅実《けんじつ》に推進《すいしん》。昨秋十月には、その二十五周年を祝《しゅく》し、千四百人に及ぶ静岡の代表団が浙江省を訪問《ほうもん》された。

さらに、島田市、富士市、富士宮市、三島市がそれぞれ、浙江省の湖州市《こしゅうし》、

静岡　1989.5

嘉興市《かこうし》、紹興市《しょうこうし》、麗水市《れいすいし》と友好提携《ていけい》を締結《ていけつ》しており、地域《ちいき》に根《ね》ざした交流《こうりゅう》を行っておられる。

昨年は、私が創立《そうりつ》した民音が招《しょう》へいした「中国雑技団《ざつぎだん》」も、浜松市、静岡市、沼津市をはじめ、全国で公演《こうえん》を行った。鍛《きた》え抜いた青年たちが、人間芸《げい》術《じゅつ》の極致《きょくち》の舞台《ぶたい》を繰《く》り広げてくれた。静岡県立大学と浙江《せっこう》大学の交流協定《きょうてい》も結ばれている。浙江大学は「東方《とうほう》のケンブリッジ」とも称《しょう》される名門《めいもん》である。

十年前（一九九八年）、浙江大学の潘雲鶴学長《はんうんかくがくちょう》とお会いした際〝「知識《ちしき》」「能力《のうりょく》」「人格」を兼《か》ね備《そな》えた総合的な人材を育成したい。そのためにも、異《こと》なる文化との交流が重要《じゅうよう》である〟と明言《めいげん》されていたことが思い起こされる。

「相互理解」と「人類益」が外交の軸

もはや、自国《じこく》だけ発展《はってん》すればよいという利己的《りこてき》で近視眼的《きんしがんてき》な考え方では、孤立《こりつ》してしまい、自国の利益《りえき》すら守れない。結合《けつごう》は力《ちから》である。大局観《たいきょくかん》に立った大胆《だいたん》な発想《はっそう》の転換《てんかん》、そして遠大《えんだい》な未来《みらい》を志向《しこう》した布石《ふせき》を、時代は要請《ようせい》してやまない。

私の友人である文豪《ぶんごう》・金庸氏《きんようし》も、浙江省《せっこうしょう》の出身《しゅっしん》で、浙江大学の人文学院《じんぶんがくいん》の院長《いんちょう》を務《つと》められた。日本でも愛読《あいどく》される人気作家《にんきさっか》である。

氏は、私との対談《たいだん》の中で語《かた》っておられた。

「真《しん》の『二十一世紀人』になるには、まず胸襟《きょうきん》を大きく開き、自分と違ったところのある人に差別《さべつ》や偏見《へんけん》の心をもたないことです。そして交際《こうさい》のなかで互《たが》いに理解《りかい》し合い、意思を通《かよ》わせ、『慈悲《じひ》の心』『愛の心』を育《はぐく》むことです」

「相互利益《そうごりえき》」そして「人類益《じんるいえき》」こそ、二十一世紀の外交《がいこう》のキーワードとなろう。

この春には、胡錦濤主席《こきんとうしゅせき》の来日《らいにち》が予定《よてい》されている。先日、来訪《らいほう》された唐家《とうか》璇国務《せんこくむ》委員《いいん》とも、十年ぶりとなる国家元首《こっかげんしゅ》の日本訪問《ほうもん》を「春風《しゅんぷう》・開花《かいか》の旅《たび》に！」と語《かた》り合った。

両国《りょうこく》、そして世界の青年たちが、開かれた心の「二十一世紀人」に成長し、共存共栄《きょうぞんきょうえい》の未来《みらい》を開き、平和に貢献《こうけん》していく――。その人類《じんるい》の春を見つめつつ、希望の種《たね》を一つ一つ蒔《ま》き続《つづ》けていきたい。

静岡新聞　２００８年３月７～９日

＊1　『牧口常三郎全集1　人生地理学（上）』（第三文明社）を参照

＊2、3　平野日出雄著『日中教育のかけ橋――松本亀次郎伝』（静岡教育出版社）

＊4　『巴金　無題集』（石上韶訳、筑摩書房）

＊5　『魯迅文集　1』（竹内好訳、筑摩書房）

池田大作（いけだ・だいさく）
創価学会名誉会長。創価学会インタナショナル（SGI）会長。1928年、東京都生まれ。創価大学、アメリカ創価大学、創価学園、民主音楽協会、東京富士美術館、東洋哲学研究所などを創立。1968年には、いち早く「日中国交正常化」を提唱し、日中友好に大きく貢献。1983年には「国連平和賞」を受賞。モスクワ大学、北京大学、グラスゴー大学をはじめ、230を超える大学・学術機関から名誉博士、名誉教授等の称号を受けるなど、平和への行動と哲学が高く評価されている。『人間革命』（全12巻）、『私の世界交友録』、『世界の指導者と語る』など著書多数。また、世界の指導者とも対話を重ね、『二十一世紀への対話』（A･トインビー）、『二十世紀の精神の教訓』（M・ゴルバチョフ）、『地球対談　輝く女性の世紀へ』（H・ヘンダーソン）、『人間主義の大世紀を　わが人生を飾れ』（J・ガルブレイス）など数多くの対談集がある。

随筆 ふるさとの光 ～すばらしき地球家族へ～

二〇〇八年六月三十日　初版発行
二〇〇八年八月十四日　五刷発行

著　者　池田大作
発行者　榎本尚紀
発行所　株式会社　鳳書院
〒一〇一―〇〇六一
東京都千代田区三崎町二‐八‐一二
電話　〇三‐三二六四‐三一六八（代表）
印　刷　明和印刷株式会社
製　本　株式会社常川製本

定価はカバーに表示してあります

ISBN978-4-87122-150-4　C0095
落丁・乱丁本はお取替えいたします